U0079357

# 厲害了，我的神

# 超精彩的希臘神話故事

古希臘的神便居住
在奧林匹斯山上，
奧林匹斯山是人們
都無法攀登的聖山

他們共同主宰著世界……

益智館 30

# 厲害了，我的神：超精彩的希臘神話故事

編著　徐正澤
責任編輯　林威彤
內文排版　王國卿
封面設計　林鈺恆

出版者　培育文化事業有限公司
信箱　yungjiuh@ms45.hinet.net
地址　新北市汐止區大同路3段194號9樓之1
電話　（02）8647-3663
傳真　（02）8674-3660
劃撥帳號　18669219
CVS代理　美璟文化有限公司
TEL／(02)27239968
FAX／(02)27239668

總經銷：永續圖書有限公司
永續圖書線上購物網
www.foreverbooks.com.tw

法律顧問　方圓法律事務所　涂成樞律師
出版日期　2019年05月

國家圖書館出版品預行編目資料

厲害了，我的神：超精彩的希臘神話故事 /
徐正澤編著.-- 初版. -- 新北市 : 培育文化,
民108.05　面；　公分. -- (益智館 ; 30)
ISBN 978-986-97393-2-0 (平裝)
1. 希臘神話
284　　　108003384

厲害了我的神

# CONTENTS

CONTENTS

# 01 奧林匹斯山諸神

奧林匹斯山是人們都無法攀登的聖山，古希臘的神便居住在奧林匹斯山上。據說混沌世界時，天神尤拉諾斯和地神該亞結合，就在奧林匹斯山上產生了天地間的諸神，他們共同主宰著世界。

大神們都選擇在奧林匹斯山這座峻峭的大山上建造自己的宮殿。每天清晨，大臣們都來到宙斯的聖殿裡議事。宙斯坐在寶座上，在聖殿的大廳堂裡接待他們。

在聖殿裡，長著棕色捲髮的太陽神阿波羅為眾神彈奏豎琴，悠揚悅耳的樂聲使他們如癡如醉。美麗的卡里忒斯穿紅戴綠，在草地上、在樹叢間翩翩起舞。繆斯那柔和悅耳的歌聲使眾神陶醉。

休息時間，婀娜苗條的赫柏給宙斯的客人們送上精美的食物和仙酒。她用金盃盛著仙酒，送到奧林匹斯眾神面前，這些瓊漿使眾神保持著充沛的精力和活力，使得他們治理世界和人類時永無倦意。他們每天都如同一家人一樣聚集在一起。當黑夜女神諾克斯點亮天上的繁星時。眾神才依依不捨的回到各自的宮殿。這時，只有終身保持少女純潔的家寶女神赫斯提仍駐留在殿堂裡，她擔負著為眾神所住的各個宮殿的照明責任。

每個神在各自的宮殿裡，儼然是個國王。他們擁有眾多的隨從供其差使，有些負責傳達命令和口信，有些負責辦理盛宴，有些負責表演歌舞，他們使奧林匹斯山的不朽者愉快的度過他們的閒暇時光，繆斯和卡里忒斯的任務是在大會堂上為眾神表演文藝節目。

赫柏則在幕間眾神休息時給他們端上精美的食物和仙酒，光輝的奧林匹斯山的天門則由三位終身保持少女貞潔的赫耳負責關照。她們態度溫和，舉止文雅，脖子上套著金項鍊，穿著飾有花果圖案的服裝，她們把奧林匹斯山的金門打開後，就步履輕盈的跑去與繆斯和卡里忒斯會合，一齊組成合唱隊，歌唱光明的到來，她們使地球上一年四季協調更替。

赫耳的母親忒彌斯或稱正義女神經常坐在宙斯的寶座旁邊，她鐵面無私，執法如山，她以自己的智慧使天公做出各種無可爭議的決定，她也是掌管奧林匹斯山各殿堂以及整個宇宙的治安女神。宙斯不僅是奧林匹斯山眾神之父，而且是人類之王，宙斯在忒彌斯的建議下做出的有關決定和命令，皆由女神伊里絲傳遞給眾神，伊里絲長著一對翅膀，雙腳走起路來快如疾風，當她從天上下凡到大地時。速度就像冰雹從雲層往地面下降般的快，她一字一句的給人們重複宙斯的決定，然後便展開一對彩虹般的翅膀飛回奧林匹斯山上，她坐在宙斯寶座的台階上，猶如一隻聚精會神的忠犬，即使在睡眠時她也從來不鬆鞋帶，也從不揭去面紗，因為宙斯一旦下達命令，她就得立即飛往指定的地點。

另外，忒彌斯的三個女兒也協助父母監督人們遵紀守法，她們住在青銅宮殿裡，每天在宮殿的牆上寫上每個人的命運，這些字跡十分牢固，任何東西都擦不掉。三位女神身穿白色飄逸的連衣裙，細紗般的裙子上飾著星星和水仙花。這三位女神坐在光彩照人的寶座上，決定每個人的命運，為每個人紡織生命之線。

她們三姐妹中最年輕的叫克羅托，她執著紡錘桿，拉克西斯轉動紡錘，為每個人紡出命運之線，阿特洛波斯決定每個人生命線之長短，她一旦做出決定就無法改變。她們根據宙斯的命令和每個人的功罪，決定每個人在地上應該遇到的禍福，帕爾卡三姐妹用白羊毛和黑羊毛，還有金色羊毛給人們紡織生命線，白色和金色表示幸福的日子，黑色表示不幸的日子。

奧林匹斯山上的大神和小神就是這樣度過他們的日子的。他們平時就生活在這種幽靜的環境裡，只是偶爾下凡人間。當他們下凡人間時，常以人的面貌或以動物的形態出現。

奧林匹斯山的十二個主要大神有：宙斯、阿波羅、阿瑞斯、赫淮斯托斯、赫耳墨斯、波塞冬和女神赫拉、雅典娜、阿芙羅黛蒂、赫斯提、阿提米斯和狄蜜特。

## 02 宙斯的傳說

宙斯是奧林匹斯山之王，世界之主，被尊為天父。他掌管著天地之間的所有的大小事務，宇宙中的萬物都對他唯命是從。宙斯是天地之間正義的化身。

宙斯是克洛諾斯的兒子，克洛諾斯被稱為時間的創造力與破壞力的產兒，克洛諾斯的妻子瑞亞是一位掌管歲月流逝的女神。瑞亞生了許多子女，但每個孩子剛一出生就被父親克洛諾斯吃掉。當瑞亞生下宙斯時，她被那個十分可愛的小東西迷住了，這是一個與其兄弟姐妹都不一樣的兒子，他的臉紅紅的，一雙眼睛又大又亮，炯炯有神。

瑞亞很喜歡這個小生命，為了保護他不讓他被克洛諾斯吃掉，她用布裹著一塊石頭，謊稱是新生的嬰兒，克洛諾斯深信不疑，將石頭一口吞下肚。於是，宙斯躲過了災難，被送往山中由克洛諾斯的姐姐寧芙女神撫養。

宙斯長大成人後，知道了自己的身世，他一心想要救出自己的手足同胞。他娶智慧女神墨提斯為妻並聽從其勸告，引誘父親克洛諾斯服下催吐藥。服了藥的克洛諾斯只覺得肚子裡好像波濤翻滾般，難受得不能忍受，接著就是一陣稀里嘩啦的嘔吐，這一吐，便把他腹中的兒女們一股腦兒的吐了出來。他們是哈德斯、赫斯提、狄蜜特和波塞冬。

為了答謝他們的兄弟宙斯，這些兄弟姐妹同意把傳家之寶雷電贈給他。於是，只要宙斯抖動盾牌，立即就會電閃雷鳴，暴雨如注，也因此他的力量更加強大起來。

宙斯對於其父克洛諾斯的暴政極為反感，他聯絡眾兄弟姐妹，和他們的父親進行了一場歷時十年的戰爭。宙斯為了儘快平息叛亂，聽從了堂兄普羅米修斯的建議，把囚禁在地下的百臂巨靈和獨眼巨靈放了出來。這兩個力大無窮的怪物有著非凡的力量。在他們的全力幫助下，宙斯和他的兄弟姐妹們取得了最終的勝利。他們的父親克洛諾斯和許多提坦神被送進了地獄的最底層。

勝利後應該由誰來當王呢？宙斯和他的兄弟們都不

願意輕易放棄權力，眼看著他們之間又要開戰了，這時普羅米修斯想出一個辦法，「由拈鬮來決定吧」。於是他們拈起鬮來，結果，宙斯做了天上的王，波塞冬做了海裡的王，哈德斯做了地府的王。宙斯以奧林匹斯山為他的大本營，這可是希臘最高的山，高得差不多挨著天，大家便稱他為天神。從此，宙斯的統治時代開始了。

宙斯成為宇宙之王後，坐鎮奧林匹斯山，明媚亮麗的天空或暴風驟雨的天氣，都是宙斯喜怒哀樂的反映。宙斯的意志和力量能驅散烏雲，能使天空萬里無雲，或出現五顏六色的彩虹，能使海上的船隻乘風破浪。

宙斯又是黑雲之神，他經常把烏雲堆積在天空，刮起破壞性的颶風，在海上掀起狂風惡浪，使地上飛沙走石，使天空電閃雷鳴，大雨瓢潑。所以，宙斯又被人們稱為「雷電神」、「震天之神」、「雲雨之神」。宙斯強而有力的手只要一高舉，就宛如一道火光的雷電，這難道僅僅是為了劈打山巔或房頂，為顯示他專制的力量和嚇唬人類嗎?不是的。因為坐在天上的宙斯是由正義所引導的。

他雖然能呼風喚雨，但是他對人類的統治卻是公正不偏的。他的勸告不易理解，他的決定不可改變，但他的意願是審慎的、正確無誤的，智慧之意願。他對最有權勢的人和最窮苦的人一視同仁。在宙斯面前，人人平等。人生之禍福完全是善惡之報。當人們行善無惡時，黑色的土地就長滿小麥和大麥，樹上就果實纍纍，大地牛羊成群，魚蝦豐收。當人們做了惡事、辦事不公、缺乏正義和失去理智時，颶風和洪水就會鋪天蓋地而來，江河氾濫，雷電交加，山崩地裂，冰雹使農作物欠收。

宙斯既是眾神之王又是人類之王，所以人們往往描繪他坐在精緻的寶座上。肅穆的頭部表現出駕馭風暴的力量，同時也顯示出控制亮麗星空的魅力。人們通常用母山羊和母綿羊，或牛角塗成金色的白公牛獻祭給他。

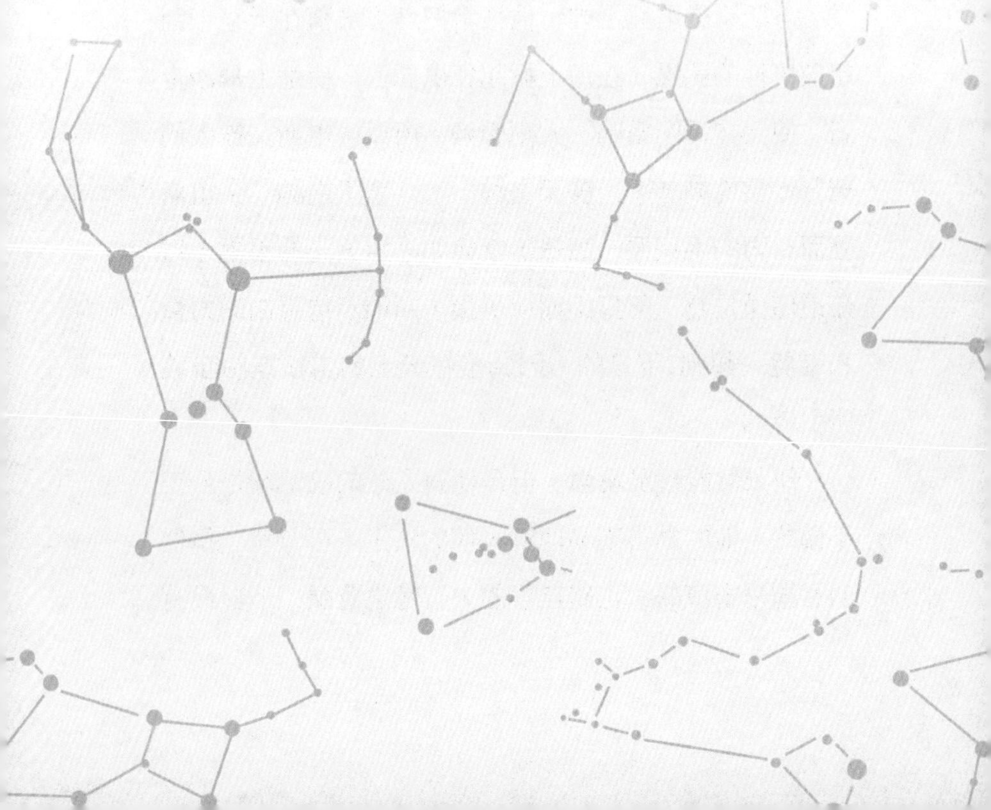

# 03 普羅米修斯

在古希臘神話傳說中，有無數的史詩般的英雄，他們就像繁星一樣燦爛於眾神的天空，其中有一顆星星特別耀眼，那就是普羅米修斯。他是被宙斯放逐的古老的神祇族的後裔，是地母該亞與尤拉諾斯所生的伊阿佩托斯的兒子。

天地被創造出來以後，卻沒有一個高級的生物來主宰著一切，普羅米修斯聰慧而睿智，知道天神的種子蘊藏在泥土中，於是他捧起泥土，用河水把它沾濕調和起來，按照世界的主宰，即天神的模樣，造出了第一個男人。為了給這泥人生命，他從動物的靈魂中擷取了善與惡兩種性格，將它們封進人的胸膛裡。智慧女神雅典娜，她驚歎普羅米修斯的創造物，於是便朝具有一半靈魂的泥人吹起了神氣，賦予了這個男人靈魂和神聖的生命。

當第一批人出現後，他們繁衍生息，不久遍佈各處。但有很長一段時間，他們不知道怎樣行動，怎樣活動他們的四肢。於是，普羅米修斯便來幫助他們造物。他教會他們如何觀察日月星辰；給他們發明了數字和文字；他還教他們駕馭牲口，來分擔他們的勞動。他發明了船和帆，讓他們在海上航行。他關心人類生活中其他的一切活動，使他們生活得更舒適。

普羅米修斯還花費了很多時間和精力創造了火，並將之贈予人類。火使人成為萬物之靈。在這之後，舉行了第一次神與人的聯席會議。這個會議將決定燒烤過的動物的哪一部分該分給神，哪一部分該給人類。

普羅米修斯切開一頭牛，把它分成兩部分：他把肉放在皮下，將骨頭放在肥肉下。因為他知道自私的宙斯愛吃肥肉。宙斯看穿了他的把戲。普羅米修斯偏袒人類，這使宙斯感到不快。因此，他專橫的把火從人類手中奪走。眾神之王宙斯為了永遠統治大地，故意不給人類降火，使世人生活在黑暗和寒冷之中。可是，普羅米修斯設法竊走了天火，偷偷的把它帶給人類。

這位伊阿佩托斯的兒子非常機敏，馬上想出了巧妙的辦法，他扛著一根又粗又長的茴香稈，走近飛奔而來的太陽車，點燃了茴香稈，然後帶著閃爍的火種回到地上，並點燃了第一堆木柴。火越燒越旺，把天都燒紅了。

宙斯見人間升起了火焰，雷霆大怒。他對普羅米修斯這種肆無忌憚的違抗行為大發雷霆。

他用陰謀陷害了普羅米修斯，還向普羅米修斯本人實施了瘋狂的報復。他命令他的僕人克拉托斯和皮亞，即強力和暴力，用牢固的鐵鍊鎖把普羅米修斯鎖在高加索山的懸崖上，而腳下就是萬丈深淵。普羅米修斯被直挺挺的吊著，不僅無法入睡，甚至彎曲一下雙膝都是不可能的。

任憑烈日曝曬，風雨沖襲，這樣的懲罰要延續三萬年！凶狠的宙斯為了加重對普羅米修斯的懲罰，還每天派一隻惡鷹去啄食被縛的普羅米修斯的肝臟。而被吃掉的肝臟，很快的又恢復原狀。他堅定的面對苦難，卻從來不在宙斯面前喪失勇氣。

普羅米修斯解除苦難的一天終於來到了。在他被吊在懸岩上，度過了漫長的悲慘歲月以後，有一天，海克力士為尋找赫斯珀里德斯來到這裡。他看到惡鷹在啄食可憐的普羅米修斯的肝臟，這時，他便取出弓箭，把那隻殘忍的惡鷹從這位苦難者的肝臟旁一箭射落。然後他鬆開鎖鍊，解放了普羅米修斯，帶他離開了山崖。但為了滿足宙斯的條件，海克力士把半人半馬的肯陶洛斯族的喀戎作為替身留在懸崖上。喀戎雖然可以要求永生，但為了解救普羅米修斯，他甘願獻出自己的生命。

為了徹底執行宙斯的判決，普羅米修斯必須永遠戴一只鐵環，環上鑲上一塊高加索山上的石子。這樣，宙斯可以自豪的宣稱，他的仇敵仍然被鎖在高加索山的懸崖上。

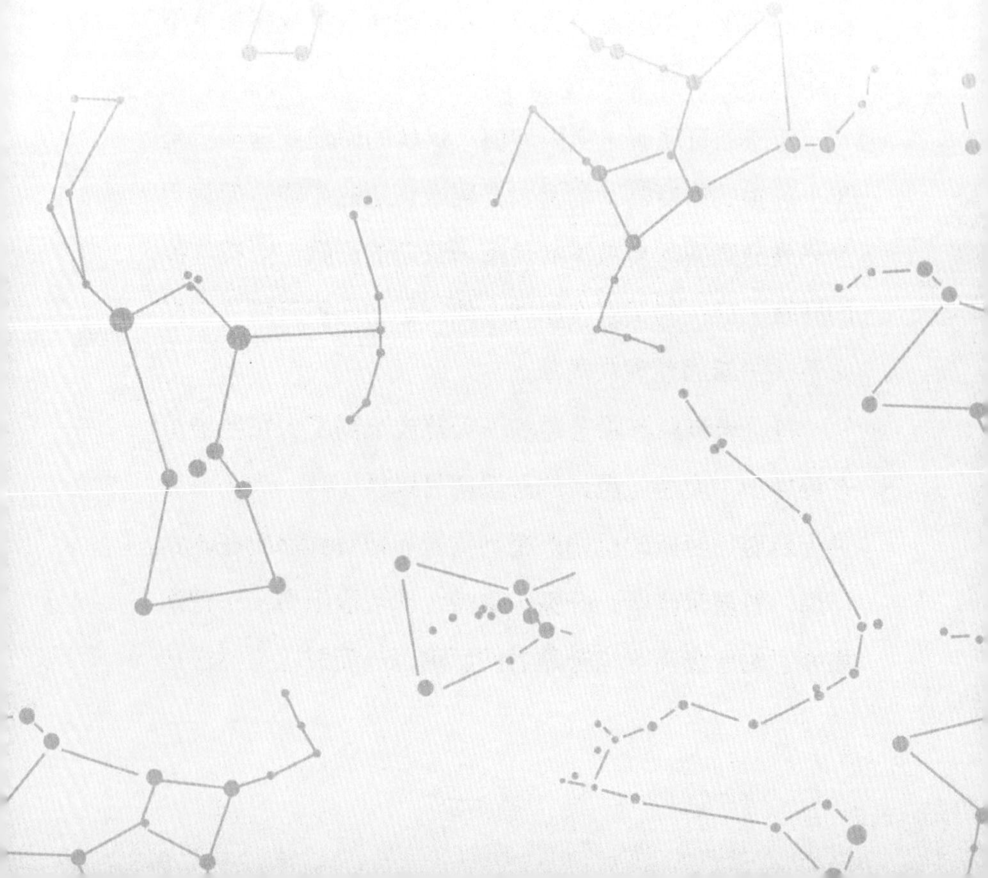

# 潘朵拉魔盒

潘朵拉是宙斯創造的第一個人類女人，主要是要報復人類。因為眾神中的普羅米修斯過分關心人類，於是惹火了宙斯。

宙斯命令以工藝著名的火神赫誰斯托斯使用水土合成攪混造了一尊美女石像；再命令愛與美女神阿芙羅黛蒂淋上令男人瘋狂的激素；女神雅典娜教女人織布，製造出各顏各色的美麗衣織，使女人看來更加鮮艷迷人；完成所有的程序後，宙斯派遣使神漢密斯說：「放入你狡詐、欺騙、耍賴、偷竊的個性吧！」一個完完全全的女人終於完成了。

眾神替她穿上衣服，頭戴兔帽，項配珠鍊，嬌美如新娘。因為她從每位神靈那裡得到了一樣對男人有害的禮物，漢密斯就出主意說：「叫這個女人潘朵拉吧，是諸神送給人類的禮物。」眾神都贊同他的建議。古希臘語中，潘是所有的意思，朵拉則是禮物。

潘朵拉被創造之後，就在宙斯的安排下把這個年輕的女人送到人間，正在地上自在取樂遊蕩的眾神見了這美得無法比擬的女人都驚羨不已。她逕自來到普羅米修斯的弟弟厄毗米修斯的面前，請他收下宙斯給他的贈禮。厄毗米修斯心地善良，毫無猜疑。因此他欣然地接受了這個禮物。

普羅米修斯曾經警告過他的弟弟，不要接受奧林匹斯山上宙斯的任何贈禮，而要他立即把它退回去。可是，厄毗米修斯忘記了這個警告，很高興的接納了這個年輕美貌的女人。直到後來，他吃盡了苦頭，才意識到他招來了災禍。在此之前，人類遵照普羅米修斯的警告，因此沒有災禍，沒有艱辛的勞動，也沒有折磨人的疾病。

現在，潘朵拉雙手捧著她的禮物，這是一只密封的大禮盒。她一走到厄毗米修斯的面前，就突然打開了盒蓋，裡面的災害像股黑煙似的飛了出來，迅速的擴散到地上。

盒子底下還深藏著唯一美好的東西：希望，但潘朵拉依照萬神之父的告誡，趁它還沒有飛出來的時候，趕緊關上了蓋子，因此只有希望被關在盒子裡，永遠飛不出來，因此人們常常把希望藏於心中。從此，各式各樣的災難充滿了大地、天空和海洋。

疾病日日夜夜在人類中蔓延，肆虐，而又悄無聲息，因為宙斯不讓它們發出聲響。各種熱病在大地上猖獗，而死神，過去原是那麼遲緩的趑趄著步履來到人間，現在卻如飛似的前進了。這就是宙斯對普羅米修斯的報復行動。

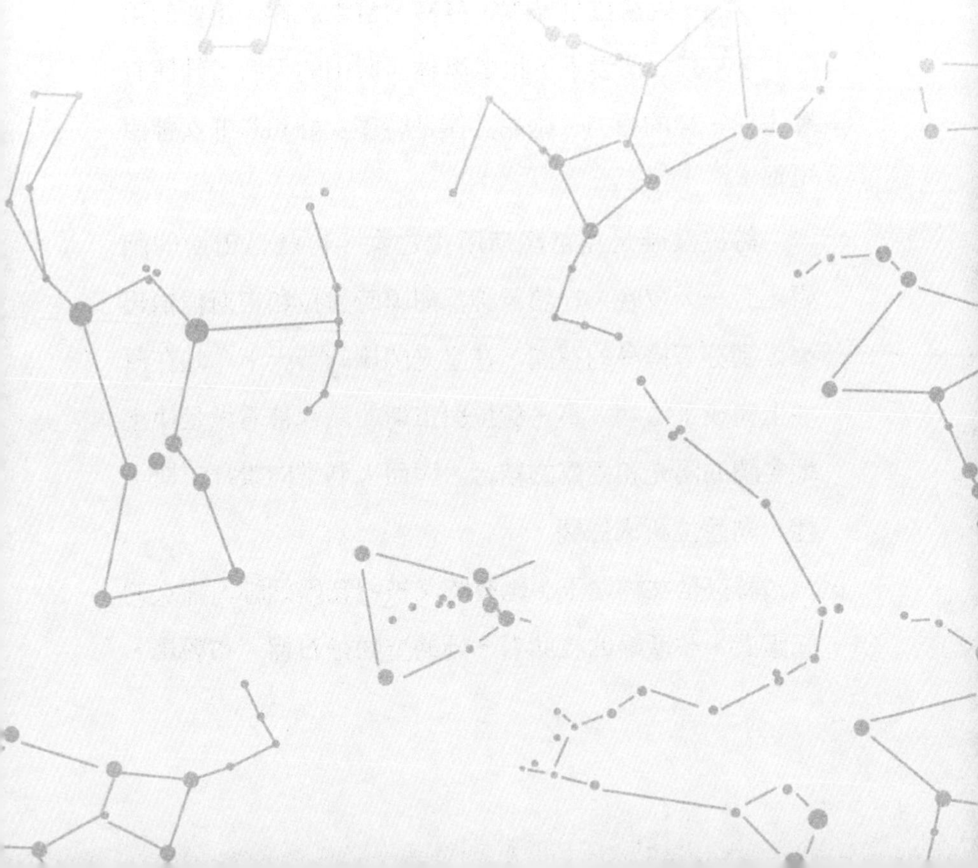

# 05 神話中的赫拉

傳說赫拉是烏雲、霹靂、雷電之神，宙斯的第七個妻子，也是奧林匹斯山的天后。她擁有和宙斯一樣的權力。她的女僕是時序女神和彩虹女神伊里斯。

赫拉女神是克洛諾斯所生之女，也就是宙斯的胞姐，有一天夜晚，在諸天神都酣睡時赫拉和宙斯悄悄起來，到芬芳撲鼻的花園，在星光閃爍的蒼天下，站在草坪上完成了婚姻大事，赫拉與宙斯的結合被看做是使土地豐饒的陽光和雨露的結合，因而人們常向崇拜宙斯一樣，向赫拉祈求恩賜。

赫拉是女神之王，她有時又被視為婚姻神、婦女的庇護者、孕產婦的救助者。她的聖物是石榴、布穀鳥、孔雀和烏鴉。赫拉與宙斯生有赫柏、阿瑞斯、愛勒提亞。而赫淮斯托斯據說是赫拉生氣時所生。

作為萬神之父宙斯的姐姐和妻子，赫拉十分忠誠於她的愛情和家庭。赫拉是宙斯第七位（最後）妻子，也是被譽為天后的唯一的妻子，相傳，赫拉一降生，便被其父克洛諾斯吞入腹中。後來，克洛諾斯中了墨提斯和宙斯巧計，又將其吐出。

在與提坦諸神之戰中，瑞亞將赫拉送給俄刻阿諾斯和泰西絲撫養；另一傳說是，赫拉是由阿卡迪亞的忒墨諾斯或歐博亞的季節女神所撫養。又說，赫拉出生後，並未被其父克洛諾斯吞入腹中，曾代其母瑞亞關照弟弟宙斯，使其免遭父親之害，但這一說法極少。

宙斯長大後，取代其父為眾神之王。他雖多次與眾女神及神女幽會，卻只屬意於赫拉。一次，他看到赫拉在阿爾戈斯附近的樹林裡悠閒漫步，便立即降下一陣暴雨，自己則化作杜鵑，佯裝躲雨，藏於赫拉衣襟內，然後現出原形，擁抱赫拉，並發誓非赫拉不娶。所以後來杜鵑成了這位女神的聖鳥。

據說，宙斯與赫拉祕密結合三百年後，宙斯才將此事向眾神宣告。在宙斯與赫拉的婚宴上，地母該亞為了慶祝他們的美滿婚姻，以聖園的金蘋果相贈，這些蘋果樹就是生命樹。

在希臘神話中，赫拉是最有威信的一位女神。赫拉的象徵是孔雀，因為這種有著五彩繽紛羽毛、顯現出滿天星斗的鳥是美麗壯觀的夜空的象徵，而天空正是天后赫拉光彩照人的臉龐，由此可知赫拉是一個多麼美麗迷人的女子。

她雙目炯炯發光，腳穿黃金草鞋，坐在黃金寶殿上，其光榮與威嚴簡直無與倫比。每當她出外巡視，都用黃金製的馬車，坐在黃金車上，氣派非凡、姿態萬千。由於赫拉威儀堂堂，才使許多天神懾服。赫拉是天后所以威權極大，雷霆和命令是她有力的武器。

赫拉的個性專橫跋扈，尤其具有強烈的嫉妒心，恰巧宙斯又是風流成性，兩人常為此鬧得天翻地覆，使她變得更加冷酷寡情，赫拉的報復心很強，常常用玩弄欺瞞的手段，宙斯就曾力斥她不可理喻，兩人之間的感情糾紛，好像變幻莫測的暴風雨。

有時是宙斯佔上風而讓赫拉服了，有時是赫拉用計謀制服宙斯。也因為如此，赫拉的好戰精神遠勝過宙斯，因此希臘各地方都在赫拉祭典時舉行凱旋大典，而且在希臘，所有崇拜這位女神的人，幾乎全是戰功顯赫的武將。宙斯和赫拉之間的爭吵，在多數情況下都是由

於赫拉的嫉妒心所引起，宙斯經常離開奧林匹斯山，下凡大地拜會仙女們。

赫拉常常以為自己被宙斯拋棄而大發雷霆，當丈夫回到家裡時，她不只一次怒不可遏而離開奧林匹斯山。

一天，她火冒三丈，離家出走，發誓再也不回來了。她來到優卑亞島，也就是宙斯第一次和她相會的地方，宙斯因妻子出走而發愁，晚上翻來覆去無法入睡，他反覆思考，想出一個驚人的計謀使妻子與他和解。他設法使她的嫉妒心達到頂點，於是，他也來到優卑亞島陡峭的山上，他佯裝與一個雙目明亮的仙女結婚，他取了一個木偶，給它穿上衣服，把它裝扮成自己的未婚妻。然後用幾頭大牡牛套上一輛五顏六色的車子，讓這個衣飾華麗的木偶坐在牛車上，牛車來到優卑亞島各市鎮，甚至深入到鄉村，車伕沿途告訴人們，車上坐著的是雷電之神的未婚妻。

赫拉得到消息，對丈夫這種厚顏無恥的行為十分憤慨，她來到華麗無比的牛車前，向她那虛假的對手撲上去。把對手的衣服和帽子撕成破布，她把對手的面紗也扯了下來，這才使她大吃一驚，原來這是個木頭人。她終於與丈夫一同快樂的回到奧林匹斯山。

宙斯常見異思遷，喜新厭舊，和許多女子戀愛，而

赫拉在忠於愛情的同時，也是一個嫉妒心極強的女人，她憎恨每一個與她丈夫有親密關係的人，她利用她的權力和地位懲罰那些女人。

如她把伊俄變成母牛後又派大牛虻叮咬她，使她受盡苦難，逃離希臘。又如赫拉聽說塞墨勒懷了其丈夫的孩子，便化作塞墨勒的老乳母去誘騙，最後將塞墨勒燒死，懷中的胎兒後來被宙斯救出，被縫進宙斯的髀肉中，足月後生出狄俄倪索斯。

赫拉還迫害過阿波羅的母親勒托，不讓她在大地上分娩，所以阿波羅是生在宙斯新生的島——德羅斯島上的，為此赫拉常被說成是「好嫉妒的」赫拉。

赫拉的嫉妒心強烈到了可怕的境地，她不僅不放過自己的情敵，對於與情敵有關的事物也難以忍受。可是，嚴厲的天后赫拉卻痛恨這個名叫埃葵娜的王國，因為這是與她爭風吃醋的情敵的名字，它勾起她的滿腔宿怨，所以她送了可怕的瘟疫給全島。

瘴氣和令人窒息的毒霧瀰漫山野，陰慘慘的濃霧裹住了太陽，然而就是不下一場雨。四個月過去了，海島上天天刮著悶熱的南風，地上升起一股股死亡氣息，池塘和河流裡的水全都發綠變臭，荒蕪的田野裡毒蛇成群。它們的毒液滲流在井水或河水裡，四處氾濫。瘋狗、瘋牛，瘋羊、飛禽走獸全都瘋了。

最後，瘟疫災害也降臨到人的身上，屍橫遍野，一片惡臭。傳說有一次，赫拉因仇恨宙斯之子海克力士，想把他置於死地，為此她的雙腳被縛在鐵砧上，雙手用金鍊捆綁著，倒吊在半空中示眾，慘遭鞭打，奧林匹斯聖山上所有的神都懾服於宙斯的震怒不敢靠近他為天后求情。所以後來她就不敢那麼霸道了，有時宙斯生氣，她也只好抑制憤怒。

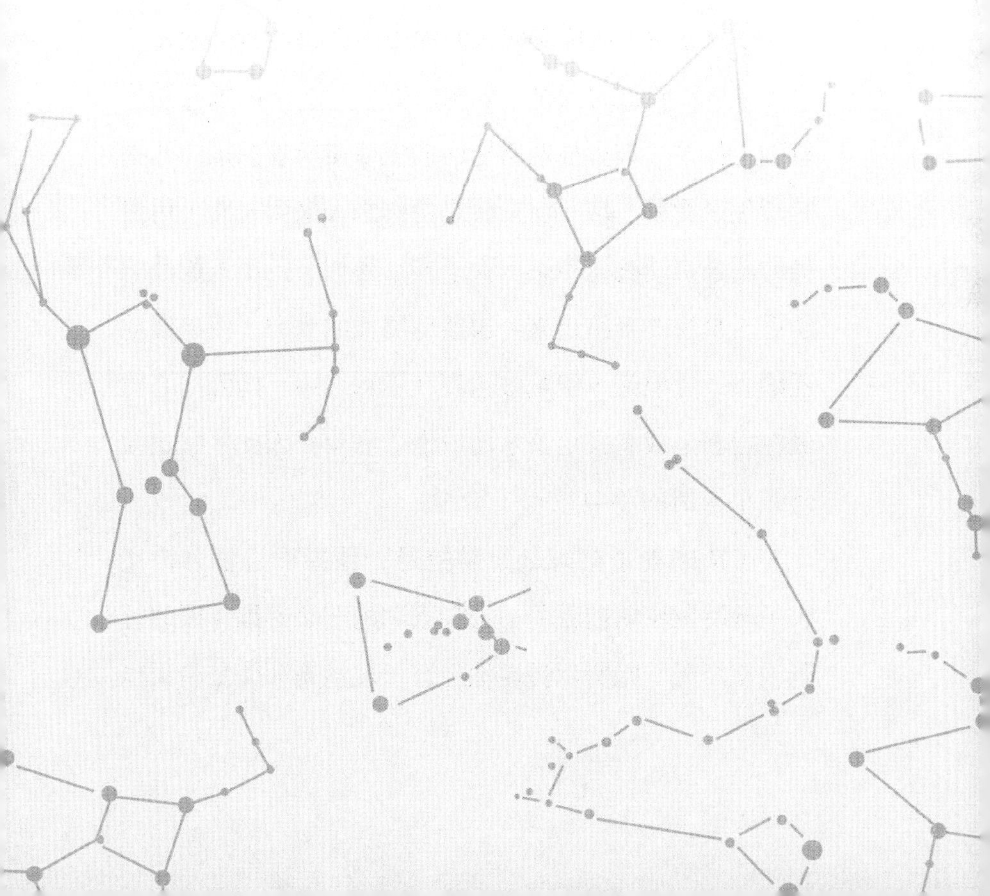

# 06 伊娥的愛情故事

傳說，彼拉斯齊人的國王伊那科斯有一個如花似玉的女兒，名叫伊娥。一次，伊娥在勒那草地上牧羊，被奧林匹斯聖山的主宰宙斯看見了，他頓時產生了愛慕之情。宙斯於是扮作男人來到人間，用甜美的語言引誘挑逗伊娥，女子非常害怕，為了逃避他的誘惑，飛快的奔跑起來。宙斯施展他的權力，使整個地區陷入一片黑暗，伊娥被包裹在雲霧之中。她因擔心撞倒在岩石上或者失足落水而放慢了腳步。因此，就這樣落入了宙斯的手中。

宙斯的妻子諸神之母赫拉是一個嫉妒心極強的女人，她時刻密切監視著丈夫在人間的一切尋歡作樂的行為。有一天，她突然發現地上有一塊地方即使是晴天也是雲霧迷濛。她覺得很不正常，於是赫拉頓時起了疑心，開始尋找她那不忠實的丈夫。她尋遍了奧林匹斯聖山，就是找不到宙斯。於是，她駕雲降到地上，命令包裹著引誘者和他的獵物的濃霧趕快散開。

赫拉的到來使得宙斯驚慌失措，他為了讓心愛的女人逃脫妻子的報復，便把伊那科斯的可愛的女兒變為一頭雪白的小母牛。可是即使這樣赫拉還是立即識破了丈夫的詭計，她假意稱讚這頭美麗的動物，並要求丈夫把這頭美麗的動物作為禮物送給自己。

宙斯左右為難，想來想去，他還是決定暫時放棄她，把這光艷照人的小母牛贈給妻子。赫拉裝作心滿意足的樣子，用一條帶子繫在小母牛的脖子上，然後得意洋洋的牽著這位遭劫的女子走了。可是，女神雖說騙得了母牛，心裡卻仍然不放心。於是，她找到阿利斯多的兒子阿耳戈斯來看守伊娥，他有一百隻眼睛，在睡眠時只閉上一雙眼睛，其餘的都睜著，如同星星一樣發著光，明亮有神。使得宙斯無法劫走他落難的情人。

伊娥在阿耳戈斯一百隻眼睛的嚴密看守下，整天在長滿豐盛青草的草地上吃草。阿耳戈斯始終站在她的附近，瞪著一百隻眼睛，盯住她不放，忠實的履行看守的職務。有時候，他轉過身去，背對著女子，可是他還是

能夠看到她，因為他的額前腦後都有眼睛。太陽下山時，他用鎖鍊鎖住她的脖子。她吃著苦草和樹葉，睡在堅硬冰涼的地上，飲著污濁的池水，因為她是一頭小母牛。阿耳戈斯總是不斷的變換伊娥的居處，使宙斯難以找到她。於是牽著伊娥在各地放牧。

一天，阿耳戈斯牽著伊娥來到了自己的故鄉，她碰到了她的姐妹們和父親，可是她們卻不知道那頭小母牛就是伊娥。終於伊娥想出了一個拯救自己的方法。雖然她變成了一頭小母牛，可是她的思想卻沒有受損。於是她用腳在地上畫出一行字，這個舉動引起了父親的注意。伊那科斯很快從地面上的文字中知道，站在面前的原來是自己的親生女兒。老人驚叫一聲，伸出雙臂，緊緊的抱住落難女兒的脖子，阿耳戈斯這個殘暴的看守發現以後，就從伊那科斯的手裡搶走了伊娥，牽著她走開了。然後，自己爬上一座高山，用他的一百隻眼睛提高警覺的注視著四周。不允許任何人靠近這頭小母牛。

宙斯不能忍受自己心愛的女人長期遭受這樣的折磨。於是他把兒子赫爾墨斯召到跟前，命令他運用機謀，誘使阿耳戈斯閉上所有的眼睛。赫爾墨斯帶上一根催人昏睡的荊木棍，離開了父親的宮殿，降落到人間。他丟下帽子和翅膀，只提著木棍，看上去像個牧人。赫爾墨斯呼喚一群羊跟著他，來到伊娥啃著草的草地上。赫爾墨斯抽出一枝牧笛，吹起了樂曲，阿耳戈斯很喜歡這迷人的笛音。於是他邀請吹笛子的人，坐到他身旁的岩石上，休息一會兒！赫爾墨斯說了聲謝謝，便爬上山坡，坐在他身邊。兩個人攀談起來。他們越說越投機，不知不覺白天快過去了。阿耳戈斯打了幾個哈欠，一百隻眼睛睡意朦朧。赫爾墨斯又吹起牧笛，想把阿耳戈斯催入夢鄉。可是阿耳戈斯怕他的女主人動怒，不敢鬆懈自己的職責。儘管他的一百隻眼皮都快支撐不住了，他還是拚命與瞌睡蟲對抗，讓一部分眼睛先睡，而讓另一部分眼睛睜著，緊緊盯住小母牛，提防它乘機逃走。

阿耳戈斯雖說有一百隻眼睛，但從來沒有見過那種牧笛。他感到好奇，便打聽這枝牧笛的來歷。赫爾墨斯就給他講冗長乏味的故事，以哄他入睡，等到阿耳戈斯的第一百隻眼睛終於閉上了以後，赫爾墨斯停止吹奏牧笛，他用他的神杖輕觸阿耳戈斯的一百隻神眼，使它們睡得更深沉。阿耳戈斯終於抑制不住的呼呼大睡，赫爾墨斯迅速抽出藏在上衣口袋裡的一把利劍，砍下他的頭顱。

於是伊娥就獲得了自由。可是她仍然保持著小母牛的模樣，只是已除掉了頸上的繩索。她高興的在草地上來回奔跑，無拘無束。當然，這一切事都逃不了赫拉的目光。她又想出了一種新的折磨方法來對付自己的情敵。

她讓牛虻叮咬可愛的小母牛，咬得小母牛忍受不住，幾乎發狂。她驚恐萬分，被牛虻追來逐去，逃遍了世界各地。最後，經過長途跋涉，它絕望地來到了埃及。在尼羅河河岸上，伊娥疲憊萬分，她前腳跪下，昂起頭，仰望著奧林匹斯聖山，眼睛裡流露出哀求的目光。宙斯看到了她，頓生憐憫之情，他即刻來到赫拉那裡向赫拉求情。並發誓，以後他將放棄對她的愛情。這時，這位神祇之母終於心軟了，允許宙斯恢復伊娥的原形。

宙斯急忙來到尼羅河邊，伸手撫摸著小母牛的背。奇蹟立刻出現了：小母牛變成了楚楚動人的美麗女子。就在尼羅河的河岸上，伊娥為宙斯生下了一個兒子厄帕福斯，他後來當了埃及國王。當地人民十分愛戴這位神奇的女人，並把她尊為女神。

伊娥作為不淑，她始終沒有得到赫拉的徹底寬恕。赫拉唆使野蠻的庫埃特人，搶走了她那年輕的兒子厄帕福斯。伊娥不得不再次到處漂泊，尋找她的兒子。後來，宙斯用閃電劈死了庫埃特人，她才在埃塞俄比亞的邊境找到了兒子。她帶著兒子一起回到埃及，讓兒子輔佐她治理國家。

# 07 宙斯和黑暗女神勒托的故事

勒托是提坦之女，是奧林匹斯山上的黑暗女神，宙斯的堂表姐，也是宙斯第六任妻子，黑暗及智力神考伊與月神菲碧之女，星夜女神阿斯忒瑞亞的姐姐，她是孿生姐弟阿波羅和阿提米斯的母親。

有一天，宙斯和愛吃醋的妻子赫拉爭吵，他下凡後遇見了美麗的勒托。為了不讓妻子發現，他便在深夜變成一隻天鵝飛到勒托身邊。睡意正濃的勒托被一隻羽毛雪白，美麗漂亮的天鵝吻醒了，她很害怕。白天鵝就是宙斯變的。他對勒托說：「美麗的女神不要害怕，我是光明之神，我希望你生兩個外貌一樣的孩子，他們長大後所處的位置就像太陽和月亮的位置一樣，功績顯著，赫赫有名。」

然而，神后赫拉發現了宙斯和勒托相愛，赫拉怒火沖天，她殘酷的迫害勒托。勒托懷孕後，嫉妒的天后赫拉無法容忍別的女神為宙斯生下長子，便下令禁止大地給予她分娩之所。可憐的勒托只好東躲西藏，到處流浪。後來勒托終於在愛琴海上找到了一個藏身的小島——德羅斯島。

這是一個浮島，常在大海上漂浮，所以這不算陸地，勒托總算可以在上面落腳了。宙斯使海底升起四根金剛石巨柱，將這座浮島固定了下來。後來，航海的海員們老遠就能看到這座島，因為這座島被稱為光明島。勒托剛來這裡時，這兒是個光禿禿的島嶼，上面什麼都沒有。

可憐的勒托孤身一人在這個荒涼的小島上，還懷有身孕，無人照料，她無精打采的對小島說：「如果讓我的兒子在你這塊地方出生，並為他建一座廟宇，他定能使廟宇香火興盛，彌補你的不足。」吹過小島上空的微風發出聲音答道：「尊敬的勒托女神，請你別難過，我接受你的兒子，讓他留在這塊土地上。然而你要保證你的兒子會永遠居住在這裡。」「我向你發誓保證他會永遠住在這裡」。勒托回答道。

她剛一說完，一群天鵝就出現在她面前，島上的大地笑逐顏開，不一會兒就建成了一座廟宇。勒托在這裡，首先產下助產及狩獵女神阿提米斯，然後在阿提米斯的幫助下生下了射術、光明之神阿波羅。

母子三人在浮島上過著無憂無慮的生活，可是好景不長，赫拉發現了他們，便派一條巨蟒前去殺害勒托母子。這條巨蟒是非常惡毒和殘忍的大害蟲。

但是宙斯不忍心在看到赫拉迫害勒托，於是便讓波塞冬幫助他保護勒托母子。巨蟒在渡海時被海神波塞冬發現了。波塞冬掀起大風大浪擋住了巨蟒的路，使勒托母子免遭傷害。後來，他們母子終於擺脫了困境，回到奧林匹斯山眾神行列之中。青年阿波羅為民除害，殺死了那條巨蟒，人們為了表達對英雄阿波羅的敬仰，修建了一座阿波羅廟。

後來阿波羅承襲了德爾菲的神諭，成為了神聖的德爾菲神廟的主人。

# 08 歐羅巴的愛情故事

腓尼基王國的國王阿革諾耳有一個女兒叫歐羅巴，她一直深居在父親的宮殿裡。一天夜裡，她做了一個奇怪的夢。她夢見世界的兩大部分亞細亞和對面的大陸變成兩個女人的模樣，在激烈的爭奪她。一位婦女非常陌生，而另一位就是亞細亞，亞細亞十分激動，她溫柔而又熱情的要求得到她，說自己是把她從小餵養大的母親；而陌生的女人卻像搶劫一樣強行抓住她的胳膊，將她拉走。

「跟我走吧，親愛的，」陌生女人對她說，「我帶你去見宙斯！因為命運女神指定你作為他的情人。」歐羅巴醒來，內心慌亂的跳個不停。她在床上呆呆的坐了很久，一動也不動。她尋思著：「怎麼會做這樣的夢呢？夢中的那位陌生女人是誰呢？但願神祇讓我重新返回到夢境中去！」

第二天清晨，明亮的陽光抹去了她夜間的夢境。她和同伴們來到海邊的草地上，她們穿著鮮艷的衣服，上面繡著美麗的花卉。歐羅巴穿了一件長襟裙衣，光彩照人。衣服上用金絲銀線織出了許多神祇生活的景致，這件價值無比的衣服還是火神赫淮斯托斯的傑作。歐羅巴穿上漂亮的衣服，楚楚動人。

她們歡笑著採摘自己喜歡的花朵，歐羅巴很快發現了她要找的花。她站在她們中間，雙手高高的舉著一束火焰般的紅玫瑰，看上去真像一尊愛情女神。她們採集了各種鮮花，然後圍在一起，坐在草地上，編織花環。為了感謝草地仙子，她們把花環掛在翠綠的樹枝上獻給她。

宙斯被年輕美貌的歐羅巴深深的吸引了。他害怕妒忌成性的妻子赫拉發怒，同時又怕以自己的形象出現難以誘惑這純潔的女子，於是他想出了一個詭計，變成了一頭膘肥體壯、高貴而華麗公牛。牛角小巧玲瓏，額前閃爍著一塊新月型的銀色胎記。它的毛皮是金黃色的，一雙藍色明亮的眼睛燃燒著情慾，流露出深深的情意。當然，宙斯在變形前，已經吩咐赫耳墨斯把在山坡上吃草的國王的牲口，統統趕到海邊去。於是宙斯就混在了國王的牛群中來到海邊的草地上。

歐羅巴和一群女子正坐在這裡嬉戲，公牛溫順的來到歐羅巴和她們面前，她們都誇讚公牛那高貴的氣概和安靜的姿態，她們伸出手撫摸它油光閃閃的牛背。公牛似乎很通人性，它最後依偎在歐羅巴的身旁。

歐羅巴把手裡的花束送到公牛的嘴邊。公牛撒嬌的舐著鮮花和她的手。她用手拭去公牛嘴上的白沫，溫柔地撫摸著牛身，她越來越喜歡這頭漂亮的公牛，最後壯著膽子在牛的前額上輕輕的吻了一下。公牛發出一聲歡叫，這叫聲不像普通的牛叫，聽起來如同是呂狄亞人的牧笛聲，在山谷迴盪。公牛溫順的躺倒在她的腳旁，無限愛戀的瞅著她，擺著頭，向她示意，爬上自己寬闊的牛背。歐羅巴著實高興，呼喚她的女伴們騎上牛背，可她的女伴們仍然猶豫著不敢騎。於是她自己爬上了牛背。

公牛馱著歐羅巴輕鬆緩慢的走著，當它走出草地，一片光禿禿的沙灘展現在面前時，公牛加快了速度，像奔馬一樣前進。歐羅巴還沒有來得及知道發生了什麼事，公牛已經縱身跳進了大海，高興的背著他的獵物游走了。

她非常害怕，回過頭張望著在遠方的故鄉，大聲呼喊女伴們，可是風又把她的聲音送了回來。公牛馱著歐羅巴一直往前，在游泳中迎來了黎明，又在水中游了整整一天。傍晚時分，他們終於來到了遠方的海岸，公牛爬上陸地，來到一棵大樹旁，讓歐羅巴從背上輕輕滑下來，自己卻突然消失了。歐羅巴正驚異時，看到面前站著一個俊逸如天神的男子。他告訴她，他是克里特島的主人，如果她願意嫁給他，他可以保護她。歐羅巴絕望之餘便朝他伸出一隻手去，表示答應他的要求。宙斯實現了自己的願望，後來，他又像來時一樣的消失了。

第二天，歐羅巴從昏迷中漸漸醒了過來。她驚慌失措的望著四周，呼喊著父親的名字。她仔細地審視周圍，以為自己又在做夢，她用手揉了揉雙眼，像是想驅除可怕的夢魘似的。可是周圍還是陌生的景物，不知名的山巒和樹林包圍著她，大海的波濤洶湧澎湃，衝擊著懸崖峭壁，發出驚天動地的轟隆聲。絕望之中，歐羅巴忿恨不已，她高聲的呼喊起來。「天哪，要是該死的公牛再出現在我的面前，我一定折斷它的牛角。」太陽從蔚藍的天空裡露出了容光煥發的笑臉。就好像被復仇女神所驅使，歐羅巴突然跳起來。她想到了死，可是又拿不出死的勇氣。突然，她聽到背後傳來一陣低低的嘲笑聲。歐羅巴驚訝的回過頭去，她看到女神阿芙羅黛蒂站在面前，渾身閃著天神的光彩。女神旁邊是她的小兒子愛情天使，他彎弓搭箭，躍躍欲試。女神嘴角露著微笑，說：「美麗的歐羅巴，趕快息怒吧！你所詛咒的公牛馬上就來，它會把牛角送來給你讓你折斷。我就是給你托夢的那位女子。歐羅巴，你可以聊以自慰了吧！把你帶走的是宙斯本人。你現在成了地面上的女神，你的名字將與世長存，從此，收容你的這塊大陸就按你的名字稱作歐羅巴！」

歐羅巴這才恍然大悟，她默認了自己的命運，於是便跟宙斯生活在了一起，後來她生了三個強大而睿智的兒子，他們是彌諾斯、拉達曼提斯和薩耳珀冬。彌諾斯和拉達曼提斯後來成為冥界判官。薩耳珀冬是一位大英雄，當了小亞細亞呂喀亞王國的國王。

# 09 底比斯城的建立

宙斯帶走歐羅巴後，國王阿革諾耳痛苦萬分，他急忙派歐羅巴的哥哥卡德摩斯和其他的三個兒子福尼克斯、基立克斯和菲紐斯外出尋找，並告訴他們，找不到妹妹不准回來。卡德摩斯出門以後東尋西找，始終打聽不到妹妹歐羅巴的消息。他無可奈何，不敢回歸故鄉，因此請求太陽神福玻斯・阿波羅賜給神諭，告訴該在何處安身。阿波羅迅即回答說：「你將在一塊孤寂的牧場上遇到一頭牛，這頭牛還沒有套上軛具，它會帶著你一直往前。當它躺在草地上休息的時候，你可以在那裡造一座城市，把它命名為底比斯。」

卡德摩斯聽從阿波羅的神諭找到那頭母牛，隨後跟著母牛淌過了凱菲索斯河流，然後母牛站在岸邊不走了。母牛抬起頭大聲叫著。它又回過頭來，看著跟在後面的卡德摩斯和他的隨從，然後滿意的躺在綠草深軟的草地裡。卡德摩斯懷著感激之情跪在地上，親吻著這塊陌生的土地。後來，他想給宙斯呈獻一份祭品，於是派出僕人，命他們到活水水源處取水，以供神祇品飲。

卡德摩斯的僕人們走進山林，正要把水罐沉入水中打水時，頓時看見一條藍色的巨龍突然從洞中伸出腦袋，這條龍紫紅的龍冠閃閃發光，眼睛赤紅，好像噴射著熊熊的火焰，身體龐大，口中伸出三條信子，猶如三叉戟，口中排著三層利齒，它看到有人來了，口中發出一陣可怕的響聲。僕人們嚇得連水罐都從手中滑落了，渾身的血液就像是凝固了一樣。毒龍把它多鱗的身體盤成一團，然後蜷曲著身子往前聳動，高昂著頭，凶狠的俯視著樹林。最後，它朝著腓尼基人衝了過來，把他們沖得七零八落，有的被咬死，有的被它纏住勒死，有的被它噴出的臭氣薰到窒息而死，剩下的人也被毒涎毒死了。

卡德摩斯等了好久還不見他的僕人回來，最後，他決定親自去尋找他們。他披上一件獅皮，手執長矛和標槍，來到樹林，可是他看見一大堆屍體，死去的全是他的僕人。他也看到惡龍得勝似的吐出血紅的信子，舐食著遍地的屍體。卡德摩斯痛苦萬分的叫了起來，「我要為你們復仇，否則就跟你們死在一起！」說著，他抓起一塊大石頭朝著巨龍投去。可是毒龍竟無動於衷，它堅硬的厚皮和鱗殼保護著它，如同鐵甲。卡德摩斯又狠狠的扔去一桿標槍，槍尖深深的刺入惡龍的內臟。巨龍疼痛難熬，狂暴的轉過頭來咬下背上的標槍，又用身體將它壓碎，可是槍尖卻仍然留在體內，惡龍受了重傷。卡德摩斯無畏的行動激怒了惡龍，它的咽喉迅速膨脹了開來，噴吐著劇毒的白沫。它像箭似的衝來，卡德摩斯連忙後退了一步，用獅皮裹住身體，用長矛刺進龍口，惡龍一口咬住了長矛。卡德摩斯拚命用力抵住長矛，惡龍的牙齒紛紛掉落。終於惡龍的脖子裡流出了血水，但傷勢並不嚴重，還能躲避攻擊。卡德摩斯很難一下子置它於死地。卡德摩斯越鬥越勇。最後，他提著寶劍，看準機會，一劍朝惡龍的脖子刺去。這一劍刺得又狠又重，不僅刺穿惡龍的脖子，而且刺進後面的一棵大櫟樹裡，把惡龍緊緊釘在樹身上，惡龍被制服了。

卡德摩斯久久的凝視著被刺死的惡龍，正要離開的時候，只見帕拉斯・雅典娜站在他的身旁，命令他把龍的牙齒播種在鬆軟的泥土裡，這是未來種族的種子。卡德摩斯聽從女神的話，他在地上開了一條寬闊的溝，然後把龍的牙齒慢慢的撒入土內。突然，泥土下面開始活動起來。卡德摩斯首先看到一桿長矛的槍尖露了出來，然後又看到土裡冒出了一頂武士的頭盔。整片樹林在晃動。不久，泥土下面又露出了肩膀、胸脯和四肢，最後一個全副武裝的武士從土裡站起來。不一會，地下長出了一整隊武士。卡德摩斯大吃一驚，他準備投入新的戰鬥，可是泥土中生出的一個武士對他喊道：「別拿武器反擊我們，千萬別加入我們兄弟之間的戰爭！」於是一時間，地下長出來的武士們便開始廝殺起來，殺得難解難分。最後只剩下五個人，其中一人，後來取名為厄喀翁，他首先響應雅典娜的建議，放下武器，願意和解，其他的人也同意了。於是這個五人便活了下來。

後來腓尼基王子卡德摩斯，在五位士兵的幫助下建立了一座新城市。根據太陽阿波羅的旨意，卡德摩斯把這座城市叫做底比斯。諸神為嘉獎卡德摩斯，便把美麗的哈墨尼亞嫁給他為妻，並參加了婚禮，送了不少禮物。愛與美的女神阿芙羅黛蒂，即哈墨尼亞的母親，送她一條很貴重的項鍊和一條做工精緻的絲面紗。卡德摩斯和哈墨尼亞後來生了一個女兒名叫塞墨勒。

# 10 酒神巴克科斯

酒神巴克科斯，又叫狄俄倪索斯，他是宙斯和塞墨勒的兒子。塞墨勒是忒拜公主，宙斯愛上了她，與她幽會，天后赫拉得知後十分嫉妒，變成公主的保姆，慫恿公主向宙斯提出要求，要看宙斯真身，以驗證宙斯對她的愛情。宙斯拗不過公主的請求，現出原形——雷神的樣子，結果塞墨勒在雷火中被燒死時，他還只是個孤弱的胎兒。

宙斯搶救出不足月的胎兒狄俄倪索斯，將他縫在自己的大腿中，直到足月才將他取出，因為他在宙斯大腿裡時，宙斯走路的樣子就像瘸子，因此得名（「狄俄倪索斯」即「瘸腿的人」之意）。

後來他的父親將他寄托在山中仙子們那裡，她們精心的哺育他長大。在森林之神西萊娜斯的輔導下，他掌握了有關自然的所有祕密以及酒的歷史。他乘坐著他那輛由野獸駕駛的四輪馬車到處遊蕩。據說他曾到過印度和埃塞俄比亞。他走到哪兒，樂聲、歌聲、狂飲就跟到哪兒。他的侍從們，被稱為酒神的信徒，也因他們的吵鬧無序而出名。他們肆無忌憚的狂笑，漫不經心的喝酒、跳舞和唱歌。他被封為果實神，又是首先種植葡萄的神。

狄俄倪索斯有一個非常要好的夥伴，他們常常在一起玩耍，後來這個夥伴死了，狄俄尼索斯很悲傷，他天天都要到朋友的墳地去，淚水不停地灑在朋友的墳墓上。有一天，他發現墳上長出一種植物，它有彎彎曲曲的長籐，就像夥伴捲曲的頭髮，上面還結了一串串紅紅的果子，紅得就像夥伴的臉蛋。看見這一切，狄俄倪索斯更是觸景生情，他吻著那果實，不停的流著眼淚。無意之中，他弄破了一粒果實，舌頭沾著猩紅的汁液。他發現那汁液是如此的甜，他不由得吃了一顆又一顆，頓時心中的悲傷一掃而光。

「我的朋友這是你的血液。現在你的一部分就在我身上，他使我忘了悲痛，給了我力量。」狄俄倪索斯激動的說。原來，那一串串的果實是葡萄，那汁液就是葡萄酒。從此，他開始教人類種植葡萄並釀製葡萄酒，成了大名鼎鼎的酒之神。但是酒神總是一再教導他的信徒們，要學會控制自己，喝得有節制，得到的是快樂，要是喝多了，就會發狂好鬥。

等他長大後，他離開了養育和庇護自己的諸位仙女，去各地旅行，向世人傳授種植葡萄的技術，並要求人們建立神廟來供奉他。他對待朋友寬厚大方，但是對不相信他是神祇的人卻常常施以殘酷的懲罰。就連底比斯國王，僅因為在崇拜巴克科斯（狄俄倪索斯的別名）的問題上皺了皺眉頭，也遭受了同樣的懲罰。

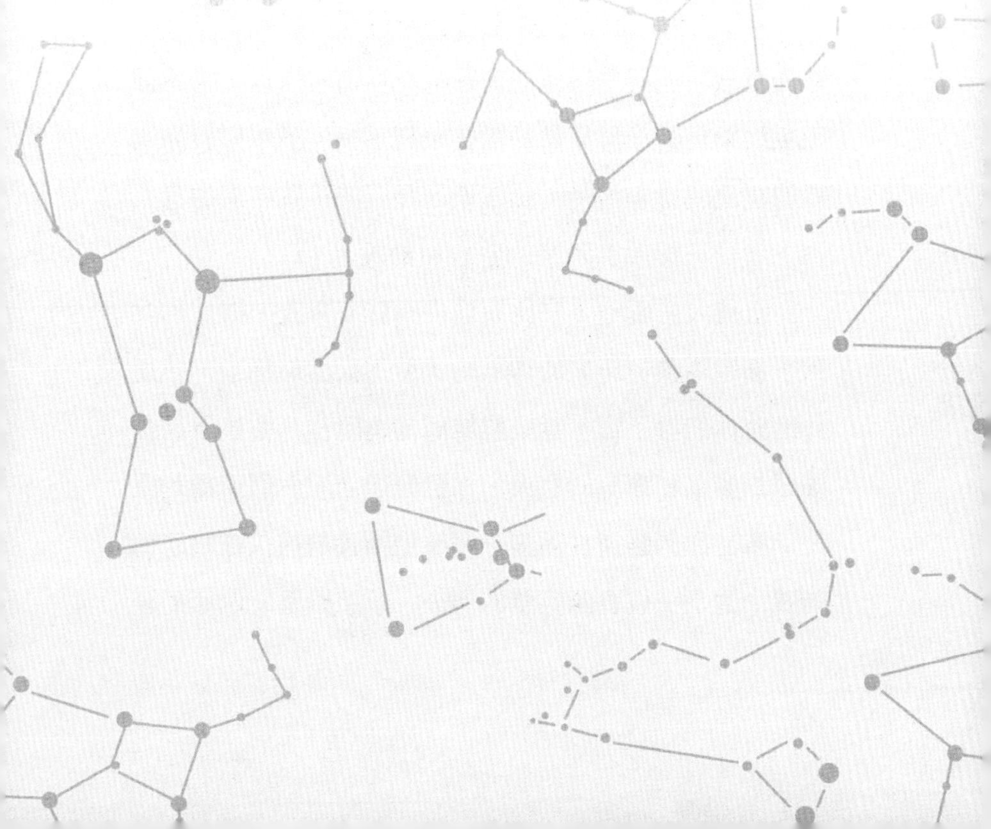

# 11 巴克科斯與彭透斯

彭透斯是泥土所生的厄喀翁與阿高厄的兒子。阿高厄是酒神巴克科斯母親的妹妹。彭透斯辱慢神祇，尤其憎恨他的親戚巴克科斯。所以，當酒神巴克科斯帶著一群狂熱的信徒來到那裡，並準備對底比斯的國王闡述神道時，彭透斯卻頑固的不聽年老的盲人占卜者——提瑞西阿斯的警告和勸說。

當有人告訴他，底比斯城內的許多男人、婦女和女孩子都追隨讚美新來的神祇時，彭透斯憤怒極了。「是什麼使你們發了瘋，竟成群結隊的追隨他？你們全是些懦弱的傻瓜和瘋癲的女人，你們難道忘記你們英雄的祖先了嗎？你們難道甘願讓一個嬌生慣養的男孩征服底比斯嗎？他是一位貪圖虛榮的懦夫，頭上戴著一個葡萄籐花環，身上穿的不是鎧甲，而是紫金色的長袍。他不會騎馬，是個逃避每場戰鬥的懦夫。你們一旦清醒過來，就會看到，他實際上跟我們一樣是個凡人。我是他的堂兄弟，宙斯並不是他的父親。他顯赫的教儀全是虛假的一套！」憤怒的說。接著他又轉過臉來，命令僕人們把這一新教的教主給抓起來，套上腳鐐手銬。

彭透斯的親戚和朋友們，聽了他傲慢的語言和命令大吃一驚，十分害怕。他的外祖父卡德摩斯也搖著白髮蒼蒼的頭，表示反對。可是這一切勸說卻更加激怒了彭透斯。這時候，派去執行任務的僕人都頭破血流的逃了回來。

「你們在什麼地方遇到了巴克科斯？」彭透斯憤怒的大聲問道。

「我們根本沒有看到巴克科斯。我們抓了他的一個隨從，他好像跟隨他的時間並不長。」僕人們據實回答。

國王彭透斯叫道：「來人，把他抓起來，叫他受千種苦刑，然後把他押在地牢裡！」奴僕們遵命的把他捆綁著關進了地牢，可是一隻看不見的手卻把他放走了。國王十分憤怒，開始大規模的迫害巴克科斯的信徒。彭透斯的生身母親阿高厄和幾位姐妹都參加了熱烈的禮拜活動。

國王派人捕捉她們，並把巴克科斯的信徒都統統關進大牢裡。可是，沒有任何人的幫助，他們的手銬腳鐐卻自動脫落，監獄的門大開。他們懷著對巴克科斯的敬仰，回到了樹林裡。

派去捉拿酒神的僕人也惶惑的走了回來，因為巴克科斯微笑著甘願讓他套上枷鎖。巴克科斯站在國王面前，國王儘管不想看，但酒神的年輕美貌仍然吸引了他的目光，他感到驚訝不已。但他還是頑固不化，把酒神視為盜用巴克科斯名字的騙子。

國王叫人給酒神釘上重鐐，關在靠近馬廄的一個山洞裡。可是酒神一聲令下，隨即地動山搖。洞口的磚牆被震塌，手腳上的鐐銬也鬆開了。他安然無恙的走了出來，回到他的追隨者中間，顯得比以前更漂亮，更英俊。

一名報信的人來到國王彭透斯面前，向他匯報那些狂熱的婦女們在樹林裡做出的奇蹟，而他的母親和姐妹們正是這批婦女的總召集人。她們只要用手杖敲擊岩壁，石頭縫裡便頓時流出了清泉和美酒，溪水中流淌著牛奶，空心的樹幹裡滴出了蜂蜜。

另外一位打探消息的人補充說：「那是真的，如果你自己在場，親眼看到神祇，那你一定會朝他跪下去！」這使彭透斯更加怒不可遏，他命令全副武裝的步兵和騎兵去驅散大批信徒。不料巴克科斯卻親自來到國王面前，他答應將女信徒一起帶來，但國王必須穿上女人的衣衫，因為他是男人，而且還未入教，女人們會把他撕成碎片的。

國王彭透斯非常勉強而且懷疑的接受了建議，他跟在酒神的後面，走到城外，這時他卻突然中了魔法，這是萬能的神祇送給他的教訓。他好像覺得眼前有兩個太陽，一個雙倍大的底比斯城，每一座城門都是原來的兩倍高，而巴克科斯在他看來卻像一頭公牛，頭上有一對巨大的牛角。他充滿著對巴克科斯的激情，祈求得到一根神杖，他拿到手上，興奮的往前跑去。

他跟著酒神來到一座深山大谷，周圍佈滿了松樹。巴克科斯的女信徒們聚攏過來，向著她們的神祇唱著頌歌，她們用新鮮的葡萄籐纏著她們的神杖，但彭透斯已經雙目失神，也許是巴克科斯故意引他走迂迴的路，所以他沒有看見狂熱的聚攏過來的婦女們。現在，酒神把一隻手伸向天空，奇蹟出現了，那手一直伸到他抓住的松樹的樹冠上，將它彎曲下來，就像撥弄一根柳樹的樹枝一樣，然後讓彭透斯坐在上面，讓松樹慢慢的回到先前的位置。

奇怪的是彭透斯卻沒有掉下來，他穩穩的坐在高高的樹冠上。山谷裡許多巴克科斯的女信徒都看到了國王，可是國王卻看不見她們。這時候酒神巴克科斯對著山谷大喊一聲：「婦女們，他就是嘲笑我們神聖教儀的人，懲罰他吧！」

森林裡沒有一片樹葉顫動，沒有任何生物的聲音。巴克科斯的信徒們抬起頭來，她們聽到了教主呼喚的聲音，頓時飛快的奔跑起來。彷彿來自神祇的差遣，在狂歡中她們穿過湍急的河流和密密的叢林，終於走近了，看到坐在樹頂上的仇人，她們的國王。她們先是扔石塊、折斷的樹枝和神杖。

可是這些東西都扔不到國王所在的樹冠上。後來她們用堅硬的櫟樹棒，挖掘松樹周圍的泥土，刨出了樹根。大樹轟隆一聲倒了下來，彭透斯和樹身一起栽倒在地上。

酒神在彭透斯的母親阿高厄雙眼上畫了符，所以她認不出是自己的兒子。現在她首當其衝，做了一個懲罰的手勢。這時國王大驚失色，突然恢復了知覺，高喊一聲「母親」，想撲進母親的懷抱。「你還認識你的兒子嗎？我是彭透斯，是你在厄喀翁家時生的兒子。可憐我吧，千萬別懲罰你的孩子！」

但這位巴克科斯狂熱的女信徒，卻口吐白沫，斜著眼睛看著他，沒有認出他是自己的親生兒子，她所看見的只是一頭凶狠的野獅。她一把抓住兒子的肩膀，猛的拉斷他的右臂。她的姐妹們蜂擁而上，拉下了國王的右臂。

一群婦女瘋狂的奔上前來，七手八腳，每人從他身上撕下一塊皮肉。阿高厄又伸出血淋淋的雙手，緊緊的擰住兒子的腦袋，將它穿在她的神杖上，仍然以為那是一隻巨大的獅子頭，並且帶著它興奮的穿過基太隆的樹林。

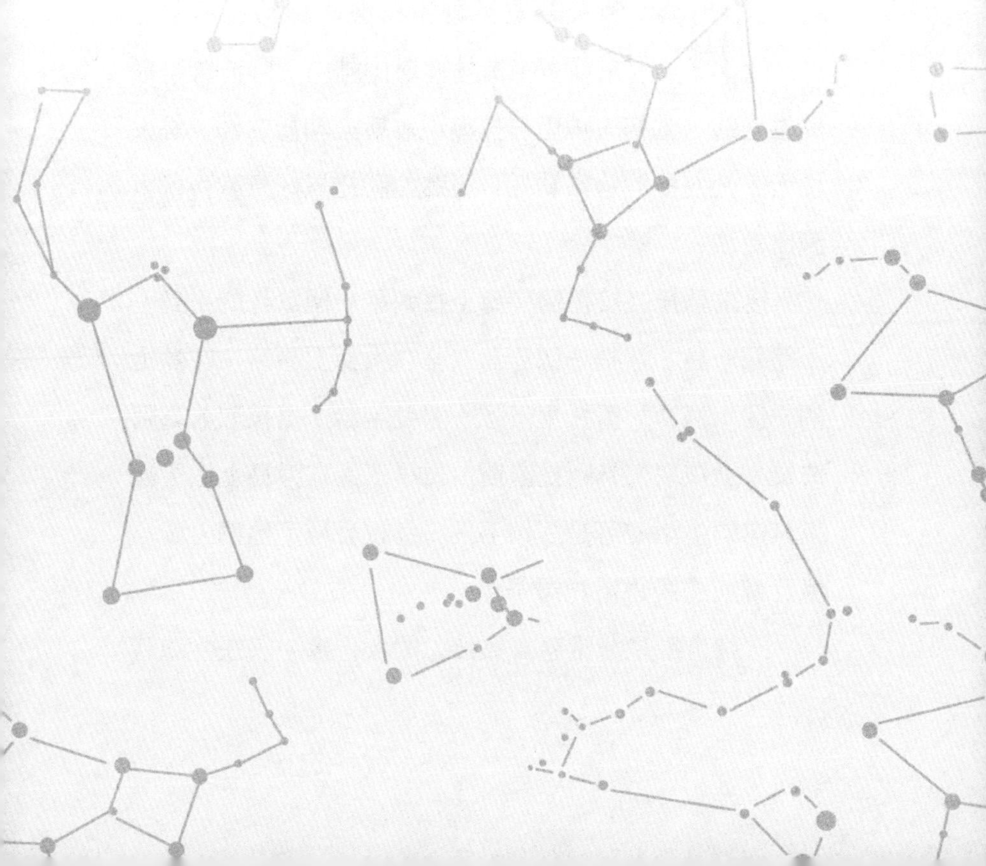

# 12 太陽神阿波羅

相傳，阿波羅是天神宙斯與女神勒托所生之子。在眾多的奧林波斯山神中，阿波羅是最受推崇的。當初，神后赫拉發現宙斯與勒托要好，怒火沖天，她殘酷的迫害勒托。可憐的勒托只好東躲西藏，到處流浪。

後來勒托終於在愛琴海上找到了一個藏身的小島——德羅斯島。這是一個浮島，常在大海上漂浮。在島上的一個山洞裡，雷托生下了一對雙胞胎。男孩取名為阿波羅，女孩取名為阿提米斯。母子三人在浮島上過著無憂無慮的生活。可是好景不長，赫拉發現了他們，派一條巨蟒前去殺害雷托母子。

這條巨蟒是非常惡毒和殘忍的大害蟲。它在渡海時被海神波賽冬發現了。波賽冬掀起大風大浪擋住了巨蟒的路，使雷托母子免遭傷害。後來，他們母子終於擺脫了困境，回到奧林匹斯山眾神行列之中。青年阿波羅為民除害，殺死了那條巨蟒。人們為了表達對英雄阿波羅的敬仰，修建了一座阿波羅廟。

後來，阿波羅成為舉世聞名的太陽神。他的妹妹阿提米斯成了月神和狩獵女神。清晨他身著紫色長袍高居於天上，住的宮殿周圍有高大、發光的柱子，上面鑲著黃金和火紅的寶石。其左右有日神、月神、年神、世紀神和四季神等。每當黑夜即將過去，住在東方的黎明女神就會醒來，打開阿波羅寢宮的大門。

當清晨的星星越來越稀少，直至看不見時，阿波羅便駕著用金子和象牙製成的，有四匹駿馬拉著的太陽車，在天空上巡視大地，給廣闊無垠的大地帶來光明、生命和仁愛，他將光明和溫暖帶給地球上的人類和萬物。黃昏時分，他在遙遠的西海結束了旅行，然後就乘上金船返回東方的家中。

阿波羅又名福玻斯，意思是「光明」或「光輝燦爛」。阿波羅是光明之神，在阿波羅身上找不到黑暗，他從不說謊，光明磊落，所以他也稱真理之神。阿波羅很擅長彈奏七絃琴，美妙的旋律有如天籟；阿波羅又精通箭術，他的箭百發百中，從未射失；阿波羅也是醫藥之神，把醫術傳給人們；而且由於他聰明，通曉世事，所以他也是寓言之神，阿波羅掌管音樂、醫藥、藝術、寓言，是希臘神話中最多才多藝，也是最美最英俊的神，阿波羅同時是男性美的典型。他最喜歡的寵物是海豚和烏鴉。

阿波羅又是音樂神和詩神。他可以喚起人們傾注於聖歌中的各種情感。在奧林匹斯山上，他手拿金質里拉，用悅耳的音調指揮繆斯的合唱。當他幫助波塞冬建造特洛伊城牆時，里拉奏出的音樂如此動聽，以致石頭有節奏的、自動的各就其位。

有一次他接受凡人音樂家馬斯亞斯的挑戰，參加一次競賽。戰勝對方後，他將對手剝皮致死以懲罰他的狂妄自大。在另外一次音樂比賽中，因為輸給了潘神，他就將裁判邁爾斯國王的耳朵變成了驢耳朵。後來阿波羅的兒子俄耳甫斯繼承了父親這方面的才能。他的豎琴使人與動物皆受感動。

阿波羅象徵著青春和男子漢的美。金色的頭髮、莊重的舉止、容光煥發的神態，這些足以使他受到世人的青睞。一位名叫克里提的美麗少女迷戀於他的英俊瀟灑，跪在地上，從黎明到黃昏，雙手伸向太陽神。她凝視著那輛金質馬車在蔚藍的天空馳騁。雖然她的愛並未得到回報，但她對阿波羅的癡情卻從未改變。目睹這悲哀的場面，眾神深受感動，於是將她變成了一株向日葵。

阿波羅始終未婚，但是他的愛人不斷。因為他不只外形俊俏，身體強壯，更是許多女神（甚至男神）願意投懷送抱的對象。雖然如此，還是有例外：達芙妮因為要離開阿波羅而變成月桂樹；女巫希比蕾和馬爾貝莎則始終不願意接受阿波羅的愛。原因也許是因為阿波羅太帥了，許多女神反而對他敬而遠之。

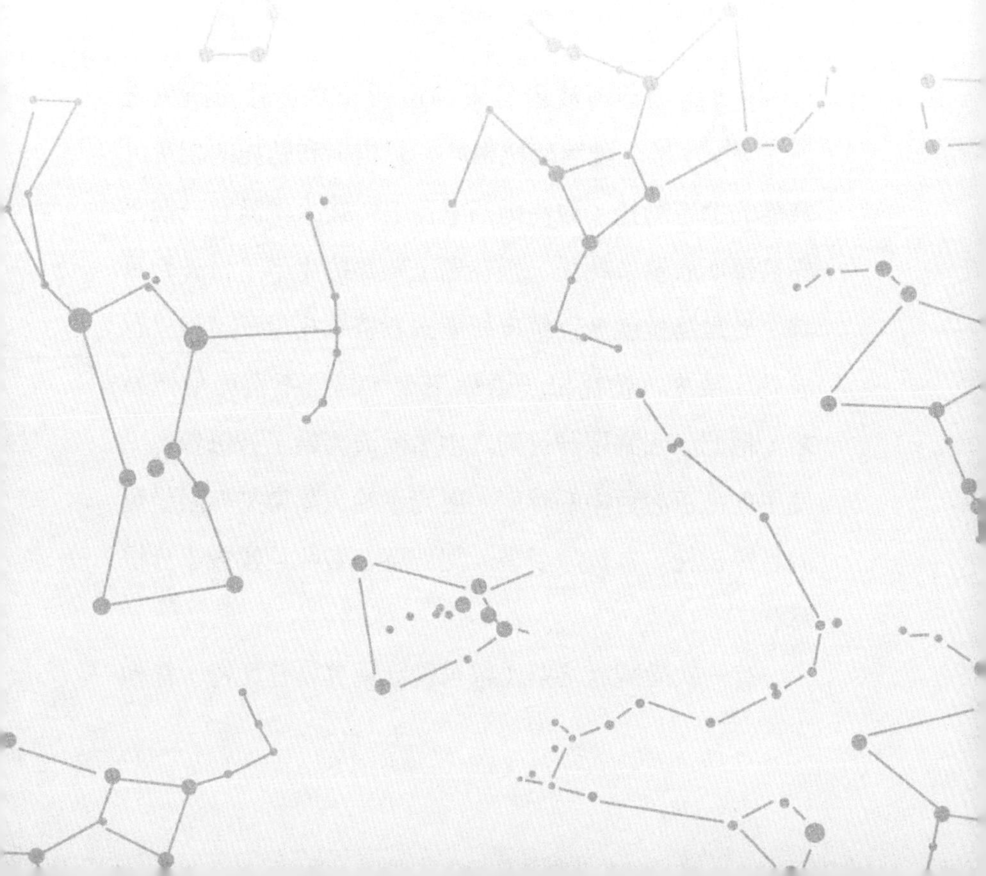

# 13 阿波羅與達芙妮的愛情故事

太陽神阿波羅是天神宙斯和女神勒托所生之子。神后赫拉由於妒忌宙斯和勒托的相愛，殘酷的迫害勒托，致使她四處流浪。後來總算有一個浮島德羅斯收留了勒托，她在島上艱難的生下了日神和月神。於是赫拉就派巨蟒皮托前去殺害勒托母子，但沒有成功。後來，勒托母子否極泰來，赫拉不再與他們為敵，他們又回到眾神行列之中。阿波羅為了替母報仇，就用他那百發百中的神箭，射死了給人類帶來無限災難的巨蟒皮托，為民除了害。阿波羅在殺死巨蟒後十分得意。

有一次愛神厄洛斯（羅馬神話稱其為丘比特）從他

身邊經過，阿波羅大聲嘲笑了背著弓箭的厄洛斯，說他不配用這種大人的武器，而應該去擺弄玫瑰花。這些話深深的傷害了厄洛斯，他決定向阿波羅復仇。原來小愛神丘比特有兩支十分特別的箭：凡是被他用那支黃金製成的利箭射到的人，心中會立刻燃起戀愛的熱情；要是被另外一支鉛做的鈍箭射到的人，就會十分厭惡愛情。

於是他趁阿波羅不備之時，用能燃起愛情之火的黃金箭射中了他，阿波羅心中立刻燃起了愛情的火焰。正巧這時，他看到了附近的河神之女達芙妮，調皮的丘比特把那支鉛制的鈍箭射向達芙妮，被射中的達芙妮，立刻就變得十分厭惡愛情。

阿波羅在心中的愛火驅使下四處遊蕩，當他看到達芙尼時就愛上了這位迷人的女子，並向她展開了狂熱的追求，她發現太陽神阿波羅用異常驚奇與羨慕的目光盯著自己。光芒四射的太陽使她害怕得飛跑起來。熱切的太陽神緊隨其後，竭力叫喊讓她止步。她的美麗與優雅觸發了他的激情。他唯恐這將是他們的最後一面。快步如飛的仙女拚命的奔跑，但情緒激昂的阿波羅緊追不放。她越過曠野，穿過人跡罕至的樹林，但追趕的腳步聲愈加逼近。他一邊追趕，一邊懇求心愛的仙女放慢腳步。他害怕仙女在石道上跌倒，會擦破她那光潔細緻的皮膚。但奔逃的仙女根本不顧及這些。阿波羅對於追求達芙妮並不灰心，他拿著豎琴，彈奏出優美的曲子。不論誰聽到阿波羅的琴聲，都會情不自禁的走到他面前聆聽他的演奏。

躲在深山裡的達芙妮也聽到了這優美的琴聲，也不知不覺的陶醉了。「哪兒來的這麼動人的琴聲？我要看看是誰在彈奏。」說著，達芙妮早已經被琴聲迷住了，走向了阿波羅。躲在一塊大石頭後面彈著豎琴的阿波羅立刻跳了出來，走上前要擁抱達芙妮。但達芙妮看到阿波羅，拔腿就跑。達芙尼覺得這個追求者，是那麼的令人厭惡而拚命抵抗，阿波羅在後面苦苦追趕，達芙妮仍然當作沒聽到，繼續向前飛奔。不過達芙妮跑得再快，也跑不過阿波羅。跑了好一陣子，達芙妮已經跑的筋疲力盡，上氣不接下氣了。

但太陽神那無所不在的力量使她無路可逃，當她逃到河邊時，她向父親求救，她請求父親將自己變形，以躲避阿波羅的癡纏，河神在無奈之下，將自己的女兒變成了一株鬱鬱青青的月桂樹。她很快發現自己已牢牢的緊附地面。接著，嬌嫩的皮膚上長出一層鬆軟的樹皮，她變成了一棵月桂樹。雖然達芙妮已經變成了月桂樹，但是阿波羅依然愛著她。阿波羅凝視著月桂樹，癡情地說：「你雖然沒能成為我的妻子，但是我會永遠的愛著你。我要用你的枝葉做我的桂冠，用你的木材做我的豎琴，並用你的花裝飾我的弓。同時我要賜你永遠的年輕，不會衰老。」變成月桂樹的達芙妮聽了，深深的受到了感動，連連點頭，表示謝意。

阿波羅傷心欲絕，卻又無可奈何，他唉聲歎氣的擁抱著樹幹，樹幹變細了。於是便折下了月桂樹枝編成桂冠戴在自己頭上，作為對愛人的紀念。為了表示他對仙女未泯的愛情，他將月桂樹作為他最喜愛的樹種，因為阿波羅同時也是詩歌、音樂和體育之神，所以希臘人將桂冠視為對那些領域內取得傲人成績的人的獎勵。

# 14 阿波羅和風信子

當太陽神阿波羅被放逐到人間接受懲罰的時候，他當了斯巴達國王墨涅拉俄斯的兒子雅辛托斯的教師。雅辛托斯長的非常英俊瀟灑，而且善解人意，聰明善良。阿波羅很喜歡他，交給他很多本領，跟他形影不離。然而，名叫澤菲魯斯的西風之神也很喜歡雅辛托斯，想讓雅辛托斯來伺候自己終老，於是他經常跟雅辛托斯說阿波羅的壞話，想盡辦法破壞雅辛托斯和阿波羅的感情，但是很遺憾的，每次都被聰明的雅辛托斯識破，所以他一直沒有成功過。

他對阿波羅和雅辛托斯的感情極為嫉妒。當他知道阿波羅想把雅辛托斯請到奧林匹斯山上去，讓小伙子終日伴隨自己的時候，嫉妒加上憤怒讓他失去了理智，他

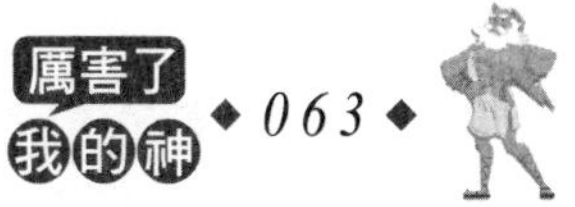

又想盡辦法去破壞他們，不管是不是雅辛托斯在自己身邊。

阿波羅常常來到斯巴達城附近的歐羅塔水邊，跟他的朋友雅辛托斯一起遊玩戲耍，他為此常常忘卻了操弓練琴。

一天中午，正當火熱的太陽當頭迎空的時刻，他們曬得脫掉了衣服，身上擦了一層油，然後又一起練習擲鐵餅。阿波羅先揀了一個大鐵餅。思忖著擱在手臂上。然後用力向高空扔了過去，阿波羅不愧為大力士，扔出的鐵餅在天空嗖的一聲飛過去，把一朵白雲劈作兩半。過了很久，鐵餅才重新落到地上。

雅辛托斯急忙跳上前去，想抓住鐵餅，馬上傚法他的神師父，也創造一個鐵餅奇蹟。可是喪失理智的西風神澤菲魯斯就在附近看著這一切，他為他們的和諧和高興感到憤怒無比，於是，他讓泥土突然變得很堅硬。當雅辛托斯跑過去的時候，鐵餅在堅硬的土地上彈跳起來，重重的砸在雅辛托斯頭上。

阿波羅眼看不妙，臉色蒼白的趕到出事地點，一把托住正要倒下去的雅辛托斯。他想把雅辛托斯僵硬的肢體重新溫暖一下，再擦去他臉上的血跡，卻發現傷口極其嚴重，連忙抓了一把藥草，敷在傷口上。可是，一切已經太遲了，雅辛托斯的頭無力的垂在阿波羅的胸前，阿波羅千呼萬喚，悲痛的淚水灑遍了雅辛托斯的臉龐。唉！為什麼他偏偏是一位神，不能替雅辛托斯或者乾脆跟雅辛托斯一起去死。

最後，他大聲的說：「不，你不能就這樣死去。我的歌聲將為你四處傳揚，你將成為花朵，親自聽到我的痛苦的心聲。」他的話還沒有說完，只見滴灑在草地上的鮮血突然變作一朵風信子花，花朵呈現暗灰的色澤，猶如紫金黃銅，一根花莖上長滿了百合一般的鮮花，花朵的花片上都清清楚楚地長出了一行表示神歎息的字母「ai」，看到花的人似乎都聽到阿波羅在悲痛地歎息：「唉！唉！」

從此以後，斯巴達國每年夏天都要紀念雅辛托斯和他的神師傅，人們舉辦一個盛大的節日，悲悼英年早逝的孩子，紀念阿波羅的忠誠友誼。在當地，這個節日就被稱作雅辛托斯。

# 15 阿波羅和向陽花

很久以前，有個名叫克呂蒂的水中仙女十分漂亮，太陽神阿波羅愛上了她。水仙克呂蒂對阿波羅的愛，遠遠超過太陽神對水仙克呂蒂的愛。但是，水仙克呂蒂以為太陽神也一樣深深的愛著自己，他們的生活寧靜祥和，幸福愉快。

一天，太陽神阿波羅偶然遇到一位國王的女兒。公主長的十分漂亮，勝過水仙克呂蒂。太陽神覺得這位年輕的公主是他所見過的最漂亮的女人。因此，一見傾心，便墜入了愛河，而把克呂蒂遠遠的拋在了腦後。可憐的克呂蒂卻被蒙在鼓裡，毫無覺察，只是發現太陽神阿波羅再也不來看她了，她每天等在窗前，看著天空，是否有太陽神的影子過來。可是，她每一次都是失望的回去。

的確，太陽神沒有來看望克呂蒂，但他卻想盡辦法追求美麗的公主，可是，每次都沒有機會。因為，國王對公主看管的很嚴，不讓她與阿波羅有任何交往。國王知道當時包括水仙克呂蒂在內的很多仙女，都曾經被阿波羅所拋棄，她們都非常的悲痛，因此，當國王發現阿波羅喜歡上了自己的女兒時，就把女兒關在房間裡，不讓阿波羅見她。然而，太陽神阿波羅不愧為風流神。國王的防範對他來說，毫無用處，因為國王只不過是個凡人，而阿波羅則是神。阿波羅扮作公主的母親，可以隨時隨的探望公主。公主經不住阿波羅的誘惑，答應了阿波羅的求愛。

畢竟紙裡包不住火，阿波羅一直不去看望克呂蒂，再加上其他人的閒言碎語，但她也曾經聽說過和親眼目睹過被阿波羅拋棄的仙女的事情。她不相信厄運這麼快就來到自己頭上，她對自己的美麗的容貌一直很有信心。但是，水仙克呂蒂的內心開始懷疑。她受不了折磨，於是開始跟蹤太陽神。她太瞭解太陽神阿波羅了，無論他怎樣打扮，她都能將他認出來。當她發現太陽神變成王后，來到公主門前時，她發現了太陽神的外遇行為。此時，她感到無比的絕望和痛苦，她開始嫉妒公主，憎恨太陽神。在痛苦和嫉妒的驅使下，水仙克呂蒂立即去找國王，並把她的所見全部告訴了國王。國王在得知了事情的原委後，怒不可遏，下令將公主活埋了。

太陽神得知消息後，心情極度悲傷，他跑到公主的墳地上大哭一場。他喜歡將自己喜歡的人變成草木，以便用陽光來溫暖他們，這次也一樣，為了表示對公主的愛意與思念，他將公主變成芬芳的灌木。至今，人們還能從這些灌木上獲取散發芳香的樹膠。

至於水仙克呂蒂，則處境悲慘，因為她的嫉妒而間接害死了美麗的公主，她自然受到了太陽神的懲罰。阿波羅把她變成了向陽花。但是，不管太陽神怎樣對待她，她對阿波羅依舊忠貞不二。每天，她都抬頭凝望著太陽神阿波羅。

現在，我們看到的向陽花永遠都向著太陽，太陽升起時朝東，太陽落山時朝西。太陽在天空正中時，向陽花則仰頭向上。當然，到夜間見不到太陽時，它便把花朵閉上。

# 16 戰神阿瑞斯

阿瑞斯是宙斯和赫拉的兒子，被委以戰神。傳說，阿瑞斯是赫拉因嗅了一朵奇花而生下的，相傳性情多忌的赫拉看到宙斯沒有透過自己，而從腦袋中生出了雅典娜後十分氣憤，氣急敗壞的赫拉，離開宮殿來到阿卡伊地區，山谷中爭艷鬥妍的奇花深深的迷住了赫拉，赫拉陶醉在花香中，在一朵異常美麗的紅花前，赫拉既驚喜於花朵的芳香，又為宙斯的薄情而憤恨。這樣在忌憤和清香的交融下，赫拉生下了一個性格執拗，暴烈的兒子，阿瑞斯。

阿瑞斯為人性情暴烈，喜歡看戰場上廝殺吶喊，以及刀光劍影的血腥場面，生平以製造紛亂和殺戮為能事，作戰時，任何危險都不畏懼，他的神性是不論正邪，只管作戰。所以父母對他一點好感也沒有，他的盔甲能發出耀眼的光輝，頭戴隨風招展的羽毛盔，左手拿一個皮盾，右手持一枝黃銅巨矛，他身材魁梧而健碩但行動既遲緩又缺乏智謀，十足是一個有勇無謀的莽將。他做事不加思考，就像他的殘暴一樣典型。

波塞冬的一個兒子企圖誘拐他的女兒，弄得戰神非常不悅。於是，他毫不留情的把他殺掉了。為了替兒子報仇，波塞冬拉著阿瑞斯到雅典法官面前要求審判戰神。

審判是在城外的一座小山上開庭的，阿瑞斯敘述了案情，最後被判無罪。他是唯一一位曾經不得不屈於部下威嚴的神。有一次，由於缺乏機智與正確判斷使他蒙受羞辱。他和兩個巨人決鬥，發現自己不能抵擋。他自動放下武器，被銬上鐵鍊關了起來，最後他被老練的赫爾墨斯救出來，但在此之前，他已飽嘗了受侮辱的滋味。

阿瑞斯不但威嚴而且可怕。他一走動，整個世界都會搖晃。在奧林匹斯山上的所有眾神中，他是最可恨的、最喜歡爭鬥和戰爭的神，並且永遠對血腥有一種渴望。另一方面，他卻代表勇氣和勝利，被即將上戰場的戰士們瘋狂的崇拜。這些崇拜者戰前都要向他祈禱，戰後將戰利品供奉在他的祭壇前。

他通常都是徒步作戰，隨同他一起作戰的是他的兒子，分別代表恐怖、顫慄、慌張、畏懼等等，和被稱為紛擾之母的妹妹伊利斯，以及代表都市破壞者的女兒埃奴歐，此外還有最喜歡喝人血的惡魔。總之，這個戰神，毋寧說是個暴亂之神，因為他並不保護希臘民族，而且他所生的子女個個都不成才，例如：以恐怖而聞名的狄摩斯，以及以敗退而著稱的佛包斯等。阿瑞斯的野蠻殘暴行徑，使奧林匹斯山眾神都十分憎惡他。

阿瑞斯的主要敵人是驍勇善戰的雅典娜，這位才智非凡的女神雖然是個女性，但她對粗野殘暴的阿瑞斯作了堅決的毫不妥協的鬥爭。她經常挺身而出，與阿瑞斯進行面對面的鬥爭，保護為正義事業而戰的戰士。在凶神惡煞的阿瑞斯的子女當中，最殘暴的要算奇克諾斯，這個強盜經常在路上攔截、搶劫、並殘忍的扼死過往旅客，被他扼殺的人很多，如果把他們的頭蓋骨堆疊起來，他可以為其父建一座神廟。

有一天，他遇到了海克力士，這位偉大的英雄正在到處巡視，掃蕩搶劫分子，奇克諾斯遇見赫拉剌勒斯時，看到這位大英雄臂上光彩奪目的盾牌很是眼紅，他毫不遲疑就對海克力士發動進攻。雙方打了起來，殺聲震天，海克力士用丈八長矛正好刺中這個臭名昭著的大盜的下巴，穿過他的咽喉。奇克諾斯宛若被雷擊的橡樹一樣倒地斃命。暴躁的阿瑞斯獲悉兒子被刺身亡，這個人類禍害便立即趕往出事地點，為其兒子報仇。他兩眼冒火，如餓獅般撲向海克力士，正當勇猛的阿瑞斯的長矛刺向海克力士時，雅典娜突然從天而降，她順勢拔開阿瑞斯的長矛救了海克力士一命。

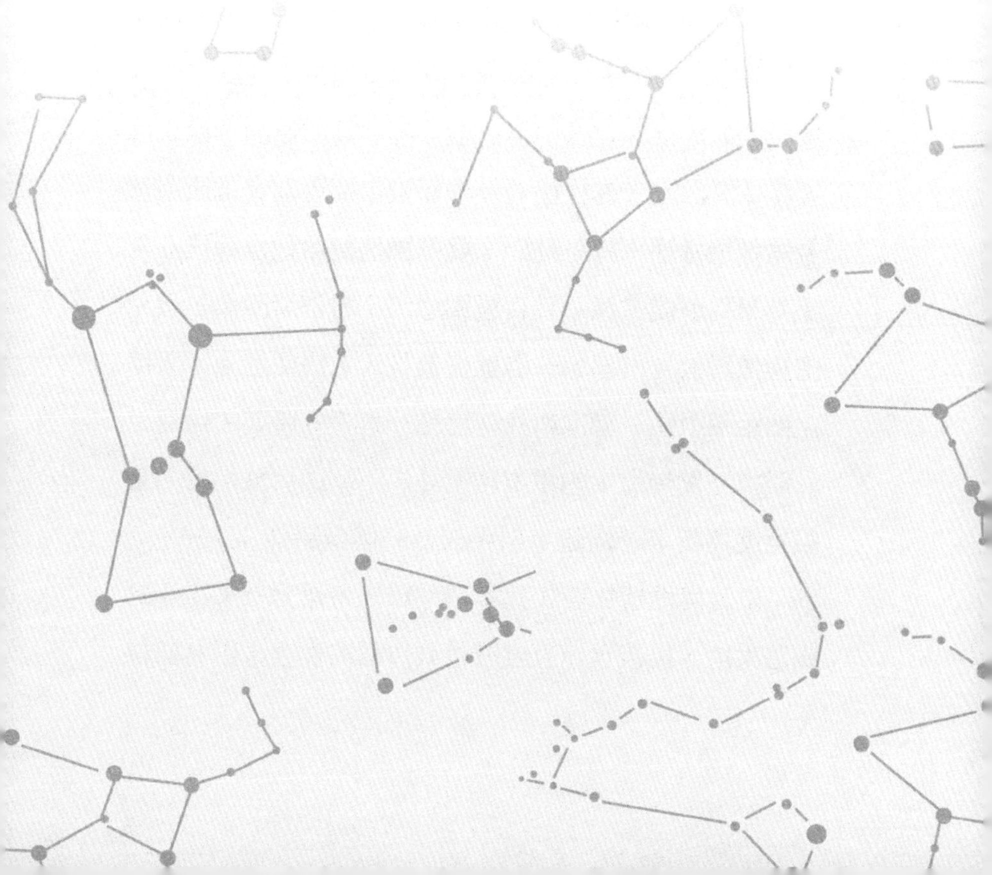

# 17 赫淮斯托斯

赫淮斯托斯是天神宙斯與赫拉之子，被稱為煉冶神，火山神，工匠神。他很少列席諸天神所召開的大會，這其中自有很多不平凡的原因，他事母至孝。有一次，赫拉由於嫉妒而被宙斯懲罰，宙斯用黃金鐵鍊把她捆綁打下凡間，就是由他拚命把鐵鍊拉回天上為母后解開鐵鍊，且百般勸慰，不料宙斯回來，看見這種情形大為震怒，一腳就把他從天上踢到地上，天地之間距離很遠。赫淮斯托斯歷經一晝夜的時間才像流星一般掉在愛琴海中的雷姆諾斯島，不幸由於落地時力量很猛就摔斷了一條腿，結果成為一個瘸腿神。

儘管赫淮斯托斯如此孝敬父母，可是竟被父王一腳踢落大地，以後也一直沒有得到母后的愛護，因為赫拉一直假裝不知道他悲慘的遭遇，於是他心中憤恨不平，下決心不再回到奧林匹斯山。悄悄隱居埃托納山，聯合獨眼怪族開採豐富的礦山，專門打造各種精密的器具。

赫淮斯托斯容貌醜陋，滿臉被燻得黝黑，一條腿也斷掉。但他的靈魂與才智卻是十分卓越的，他心智靈巧，而且充滿熱誠幾乎可說具有藝術家的氣質。他在奧林匹斯山上建築了諸神的宮殿，為宙斯打造了雷霆以及胸甲。此外還製造了宙斯的笏，愛神的弓，海克力士的馬車等諸神所攜帶的物件和武器。他的工作場內有以金屬製成的侍女，她們都很能幹，幫他工作，他的鐵廠是在各個火山底下，而且經常造成火山爆發。

他雖然又醜又殘廢，可是卻有一個貌美驚人的妻子阿芙羅黛蒂，阿芙羅黛蒂卻不是一位貞潔的婦人，女神阿芙羅黛蒂是沉湎於屠殺的阿瑞斯的情婦，經常私通阿瑞斯。當火神赫淮斯托斯在煉鐵作坊裡打鐵時，阿瑞斯就悄悄來到美麗的阿芙羅黛蒂身邊。因為他害怕天亮後被太陽神看見，會告知赫淮斯托斯，所以他經常帶來一個年輕人，後來這個年輕人就成了他的侍從，他掌握著阿瑞斯的全部祕史。戰神進入阿芙羅黛蒂家的時候，就把這個叫阿力克提翁的青年留在門口做哨兵，他的任務是當太陽快出來時學公雞啼叫，為阿瑞斯通風報信。

然而，有一天早上，阿力克提翁睡著了，他沒能給阿瑞斯傳達訊息。因此，太陽神一睜開眼睛就看到阿瑞斯在阿芙羅黛蒂的懷抱裡，太陽神對阿瑞斯的這種卑劣行為十分氣憤，他立即把這一醜事告知火神赫淮斯托斯。這令人痛心的消息使火神驚愕得目瞪口呆，他正在鍛打的鐵塊從手中的鉗子裡掉到地上，他立即想了個報復的辦法，馬上在巨大的鐵砧上鍛打鋼絲，又用鋼銼和鉗子把鋼絲做成鍊環，然後用鋼絲織起來，做成一個鋼絲網袋，網眼比織物或屋樑上的蜘蛛網還要密，鋼絲網織好後，他便回到臥房，當時阿芙羅黛蒂正在洗澡。他利用這個時機，快手快腳的把鋼絲網張開，固定在床腳和天花板上，然後他便佯裝回煉鐵作坊，他一走，藏在屋角的阿瑞斯就回到房裡等待阿芙羅黛蒂，他們根本沒有想到赫淮斯托斯會布下羅網，所以就坐在床上鬼混。他們剛坐下，神奇的羅網突然收縮，他們像網中之魚一樣被捕住了，他們落網後動彈不得，他們明白他們一定會出醜。

果然，赫淮斯托斯很快就回來了，一方面他對自己的不幸氣得要命；另一方面，他因為能出一口氣，報了這個仇而感到高興。他把自己的金色宮殿的象牙門全部打開，放開嗓子高聲召喚眾神到他的臥房裡來，只有女

神們因為害臊而留在奧林匹斯山的宮裡。當眾神看到阿瑞斯和阿芙羅黛蒂被網在一起時，他們都驚訝不已，放聲大笑，在他們當中有些神對火神的機靈表示欽佩，有些神則對阿瑞斯表示羨慕，還說如果他們能和漂亮的女神在一塊，他們也甘願被網在一起，讓眾神一睹為快。

後來，在眾神的勸說下，赫淮斯托斯終於息怒，把羅網裡的兩個無恥之徒放了出來。最後這對貌合神離的夫婦還是鬧得不歡而散。阿芙羅黛蒂因感到羞恥而到塞浦路斯島去了。為了懲罰阿力克提翁，阿瑞斯把他變成一隻公雞，要他永遠給人們報告太陽的升起，而阿瑞斯則到荒涼的色雷斯地區隱居。

# 18 赫爾墨斯

赫爾墨斯是宙斯和能喚雨的仙女邁亞生的兒子，赫爾墨斯一生下來就被任命為奧林波斯山的賊神，他出生後幾個小時的時候就做了賊。

赫爾墨斯出生在一個又深又大的山洞裡。他早晨出生，中午便掙出襁褓走出山洞，爬上山頂。他在人世間碰見的第一隻生物是一隻巨大的烏龜，赫爾墨斯一看到這烏龜漂亮的外殼，便有了異想天開的想法。他把烏龜帶到一個山洞裡，去掉了它的頭足，取下它的龜殼，用它做了一把琴，然後又在琴上裝了七根羊腸當成琴弦，這就是世界上第一把豎琴的來歷。

赫爾墨斯是個快活的小人兒，聰明頑皮，常常搞一些惡作劇。他出世才一會兒，就獨自來到一片平原，那裡養著阿波羅的牛群，赫爾墨斯從中挑選了五十隻又肥又壯的牛，趕著它們倒退著離開平原，他自己則用樹枝捆在腳上，製造一些假象。這事叫一個老頭看見了，那時老頭正在他的葡萄園裡幹活，「老頭兒，你想叫你的葡萄豐收嗎？你只要管住你的舌頭，忘記你所看見的一切就行了。」

說完他又向前走去，在一座山下，赫爾墨斯殺了兩頭牛，用最好的部分獻給神，自己只使勁地聞了聞烤肉時發出的香味，因為他還沒有牙齒呢！然後他把牛頭和牛腿都燒了，沒有留下一點痕跡，做完這些事後，他回到山洞的搖籃裡。要知道，他出世才一天呢！

當母親知道他所做的這一切時，她警告兒子說：「阿波羅不會放過你的。」「母親，你不要罵我，請你告訴我，為什麼我們住在山洞裡，沒有僕人也沒有祭品呢？我們難道不是神嗎？我和阿波羅一樣不都是神的兒子嗎？我們應該和他們一樣富有，否則我可要做一個強盜的王。」他說得振振有詞，母親也沒有辦法。

第二天，太陽出來時，阿波羅來看他的牛群，一眼就發現丟了五十隻牛，他立刻發起怒來：「是誰！敢偷神的牛呢？」

阿波羅去問老頭，老頭說：「我看見了一個小孩和一群牛，牛群是倒退著走的，小孩的腳上捆著樹枝。」阿波羅仔細看了看地上，好像是有一些痕跡，它們既不像人的也不像獸的，不過他還是跟著它們走，他要找到他的牛而且要懲罰小偷。

於是，他來到一個山洞裡，看見裡面有個搖籃，一個小小的嬰兒抱著一把琴睡得正香。憑藉他的神力，他知道這個小孩就是偷牛的賊。於是他把小孩弄醒後抱在手上，赫爾墨斯沒有一點畏懼，他堅決不承認是他偷的牛。可是他說著說著便打了一個噴嚏，這是個預兆，阿波羅知道他一定能找到他的牛群。

對於赫爾墨斯的抵賴，阿波羅十分氣憤，他一把抓住這個小東西，並把他帶到奧林匹斯山宙斯的寶座前。眾神之父一見阿波羅就問：「阿波羅你為什麼把這個新生兒帶到我這裡來？」

阿波羅回答說：「父親，我給你帶來一個小偷，這個還在搖籃裡的嬰兒竟偷了我的牛。我知道，他犯了罪，但他卻不承認偷了我的牛。」

赫爾墨斯狡猾的說：「我沒有罪，你知道我昨天才出生嗎？我還沒有離開過我的搖籃，你瞧我的小手和小腳，我能去偷牛嗎？」

宙斯見兒子竭力否認這次毋庸置疑的偷盜，他先是

狡黠的一笑，接著便要求這個狡猾的小偷把阿波羅帶到他夜裡藏匿牛群的地方去。於是，宙斯的兩個兒子來到了阿爾菲河畔，他們接著又來到牛棚附近，赫爾墨斯走進山洞，把牛趕了出來。

阿波羅雖然找回被偷走的牛，但他並沒有放鬆警惕，為了平息阿波羅的怒氣，赫爾墨斯拿起豎琴彈奏起來。豎琴發出令人驚訝的優美的聲音，竟使得阿波羅忘記了那件不愉快的事。

於是阿波羅對赫爾墨斯說：「這個音質優美的樂器，你是從哪弄來的，這麼和諧悅耳的曲調我從來沒有聽過，你彈奏的曲調使人感到輕鬆愉快，如癡如醉。」

赫爾墨斯立即回答道：「如果你希望得到我的豎琴，那就送給你吧！用這豎琴伴唱能奏出音質優美的音樂。」

阿波羅接過豎琴說：「赫爾墨斯，我們交個朋友吧！如果我成為主管使人平息怒氣的豎琴之神，那麼你就成為畜群的保護神。我把我那些耐勞的牛和生產羊毛的綿羊托付給你，這是保護畜群用的金鞭和金棒。從今以後，牧人的六畜興旺應歸功於你。」

就這樣阿波羅和赫爾墨斯言歸於好，從那時起，他兩就成為了親密的朋友。後來，赫爾墨斯被指定為宙斯和眾神的傳令官。眾神賜他一雙帶翅膀的草鞋和一頂帶翅膀的帽子，讓他可以行動神速。赫爾墨斯成了宙斯和凡世之間傳遞消息的人。他是行人的保護神，十字路口或街角都有他的半身像和雕像。並作為獨特的標記，看護著每一個過往的人。

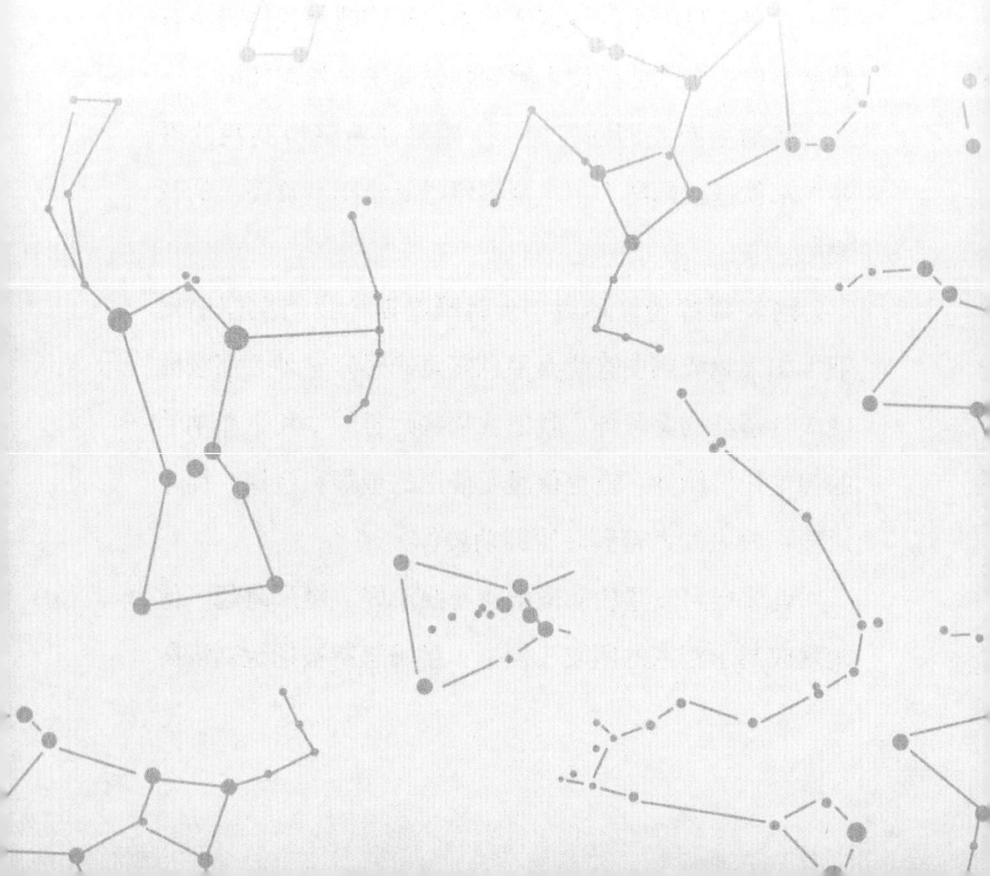

## 19 海神波塞冬

波塞冬是克洛諾斯與瑞亞之子，宙斯之兄。當主神宙斯推翻克洛諾斯的統治時，就把宇宙的統治權分為三部分：吩咐哥哥波塞冬負責統治海洋和所有的水域，他的地位僅次於宙斯。波塞冬成為偉大而威嚴的海之神，掌管環繞大陸的所有水域。他用令人顫慄的地動山搖來統治他的王國。他有呼風之術，並且能夠掀起或是平息狂暴的大海。

波塞冬的眼睛就像碧波那樣燦爛奪目，當他憤怒時，海底就會出現怪物，象徵他的聖獸，除了牛之外還有海豚，海豚象徵海的寧靜和波塞冬親切的神性。其實他本身就是海，所以又有大地支柱、震撼大地之稱。波塞冬經常手執三叉戟，這就變成他一大特徵，當他揮動三叉戟時，立即海浪滔天，一放下來風浪隨即平靜，而且他只要把三叉戟往地上一敲，便會造成地震。但另一面，這種三叉戟是漁夫的工具，可見波塞冬也是漁業神，受到漁民的崇拜。此外，他的戟並非專用於漁業，也用來打擊岩石，從裂縫裡噴出滾滾清流灌溉大地上的田園，使農民五穀豐收。所以他又被稱為豐盛神。

波塞冬也製造馬，他給予人類第一匹馬。所以也是馬神。他所乘坐的車就是用馬拉的，這種馬長著黃金蹄和黃金鬃毛，波塞冬經常乘坐這輛四馬戰車，在廣大無邊的海洋上巡視。每當戰車在海上奔馳時，雷霆似的波浪自動會平靜下來，並且有海豚在四周戲水，波塞冬並非單純的海神，也是一個神力無邊的水神。他還被稱為穀物神、牧羊神、農業神。

波塞冬不僅身兼牧羊神，而且是有名的金羊毛之父，特別是馬跟他有不可分離的親密關係。

當初宙斯三兄弟抓鬮劃分勢力範圍，宙斯獲得了天空，哈德斯屈尊地下，波塞冬就成了大海和湖泊的君主。雖然表面上海陸空是由三兄弟分掌，但是內部勢力並不均衡。宙斯動輒發出狂言，要把大地和大海一起拉上來，吊在奧林匹斯山上。波塞冬雖然表面上不得不尊重宙斯的主神地位，但是心裡卻很不服氣。希臘諸神熱

愛人間和陽光，但他卻每天潛在海底的宮殿跟生猛海鮮，臭魚爛蝦打交道。事實上，他只能算是鎮守邊疆的藩王。這使波塞冬的憤怒猶如那澎湃的海水滔滔不絕。地震和海嘯都是他內心憤憤不平的表現。

正如大海的波濤，波塞冬的性格桀驁不馴，他經常駕馭著烈馬金車在海面狂奔，讓海水發出震耳欲聾的咆哮聲。他的標準武器是個三叉戟，當然是及不上宙斯的武器——雷電。

波塞冬野心勃勃，而且好戰。不滿足於他所擁有的權力，他密謀把宙斯從他的寶座上趕下來。但陰謀還沒有得逞，他就被趕往人間服侍一位凡人。在阿波羅的幫助下，他替拉俄墨冬國王修築了著名的特洛伊城牆。一次他和雅典娜就新城雅典為了起名之事爭吵，最後被迫向智慧女神讓步。另一次他因科林斯的國王之故與阿波羅激烈爭吵，最後以勝利告終。

海神也跟宙斯一樣風流成性，而且是個愛情能手，情婦滿佈天下。但他的婚姻相當美滿，波塞冬的愛情為他帶來了奇怪的子女，他的妻子安非特里忒在成為王后之前是海河中的美麗仙女。有一天她和姐妹們在納格索斯島上跳舞，波塞冬一見鍾情，像大鯊魚一樣猛撲過去。仙女驚恐之際潛入海底，波塞冬立刻派一隻海豚追

逐。海豚可是游泳健將，安菲特里忒根本不是對手，最後還是得乖乖的坐在海豚的背上，成了波塞冬的新娘。他們的獨生子叫做特里同，上半身是人身，下半身是魚尾，而且長滿了海藻，是個男美人魚。這位海中的太子爺，繼承了父親好色的特質，娶了好幾個海中仙女，生的龍孫都會吹海螺，在爺爺，奶奶來時，就鳴螺開道。

德墨特爾不喜歡波塞冬對她的注意，就變成一匹馬，不知羞恥的波塞冬也變成一匹馬，繼續追求她。一匹駿馬，名為阿瑞翁，是他們的愛情之果。這匹馬能夠說話，在希臘的所有馬拉車大賽中必定獨佔鰲頭。波塞冬還搶走了美麗的少女忒爾菲，把她擄到一個島上，使她變成一隻綿羊，他自己變成一隻公羊。結果長有金色羊毛的公羊就出現了。

# 20 波塞冬的兒子們

海神波塞冬很好色到處拈花惹草，所以他的私生子很多，然而在強大的海王兒子中最著名的叫波呂斐摩斯和安泰，波呂斐摩斯長得異常高大，令人生畏，他住在西西里海邊。他前額不高，濃密蓬鬆的頭髮遮蓋著肩膀，宛若一片茂密的樹林，粗壯的四肢長著長長的汗毛，在佈滿皺紋的前額和扁塌的鼻子之間，一道弓形的野草般的亂蓬蓬的眉毛把兩隻耳朵連在一起，眉下是一隻盾牌般的大眼睛。每天清晨，他就拄著一根松木當手杖，大步走在海岸邊，攔截、搶劫、殺害因暴風雨而迷失方向，和晚上回岩穴休息的海員或漁民。有時他則坐在跟隨他的綿羊中間，吹起他那由一百根蘆竹組成的笛子，清脆悠揚的笛聲迴盪在山谷之間和大海之上。

然而，就在這個龐然大物出沒的海域不遠的地方，住著一個叫蓋拉忒斯的海中仙女，據說她的膚色比百合花還白，皮膚比天鵝絨還柔軟，身軀宛如柳條一樣軟。一天，她陪母親到山上採摘花朵，波呂斐摩斯的羊群正在那裡吃草。這位獨眼巨人看見這位仙女便一見鍾情，但她卻傾心愛慕阿西斯，後者是一個十六歲的青年牧人，他長得像阿多尼斯一樣俊俏，他那俊秀的臉龐不是被濃密蓬亂的鬍子所遮蓋，而是像金色的麥子在陽光下一樣，滿面紅光。

波呂斐摩斯為了討蓋拉忒斯的喜歡，他用一個耙子把自己蓬亂的頭髮梳得整整齊齊的，他還用一把鐮刀把自己臉上野草般的鬍子割掉，力圖使自己的面目不那麼猙獰。但是，這一切都是白費心思，他怎麼也不能使這位叛逆的仙女動心。因為她的心已獻給了牧人阿西斯。

一天，波呂斐摩斯看見這位仙女喜歡在浪濤中沐浴，於是他便高聲叫道：「喂，蓋拉忒斯，天長日久海浪已把你的身體洮蕩得比貝殼還要光滑，你讓藍色的海緊緊的擁抱那海岸吧！請你到我身邊來，我在這座山的側面挖了一個很深的洞穴，裡面有月桂樹，挺拔的柏樹，綠色的常青籐，長著甜美果實的葡萄樹，還有埃特納給我送來的白雪化成的清涼的水。你可以到這個山洞來避暑，來吧！蓋拉忒斯，我求求你，可憐可憐我，不要愛阿西斯了，請你再也不要像我綿羊腳下的毒蛇那樣，請你把刺在我心上的利劍拔出來，醫好我心靈上的創傷。」不管波呂斐摩斯怎樣懇求，蓋拉忒斯還是不動心，他一講完，她就像被獵狗追逐的野鹿一樣消失在波濤中。

波呂斐摩斯孤零零一人，心情十分痛苦，他在山上和森林裡到處遊蕩，邊走邊吼叫。一天，他心情憂鬱，獸性大作，走在臨海的一塊高地上，他忽然瞥見阿西斯和蓋拉忒斯就在下面的海灘上，他非常嫉妒，停下腳步注視著這對情人的舉動。

突然他狂叫起來：「可憐蟲，我看見你們啦，這是你們的最後一次撫愛了。」話一說完，波呂斐摩斯撿起一塊巨石，用盡全力投向阿西斯，可憐的阿西斯慘叫一聲，便倒在了地上。後來在他鮮血染紅的那片土地上出現了一口清泉。

海神波塞冬和該亞所生的絕世安泰更是兇猛不已，他從來就不會感到疲勞，他的身體一接觸大地就能吸取大地的力量，因而一下子恢復體力。他最喜歡吃的東西是活著的幼獅，他睡覺時不是睡在他打獵取得的軟綿綿的獸皮上，也不是睡在樹葉做的床上，而是睡在他母親光禿禿的硬梆梆的懷裡。在他佔據的地盤，人畜均不能倖免於難，每當外地人不管從陸上或海上來到利比亞，他就強迫外鄉人和他決鬥，把外鄉人打翻在地並把人置於死地而後快。用死者的頭顱骨來裝飾他在海濱為其父建的神廟。安泰的殘暴行為令人髮指。

一天，大英雄海克力士來到此地，眾神交給他一個任務，即消滅海邊和各條道路上的傷害人畜的一切怪物。當海克力士和安泰較量時，前者強有力的手狠狠的猛揍後者的脖子，但毫無結果，安泰仍然巋然不動，真是棋逢對手，雙方打得難解難分，雙方都為對方的力氣感到驚訝。海克力士在開始時並沒使盡全身力氣，用盡渾身解數，決鬥開始不久，他就感到對手力氣不支。安泰氣喘吁吁滿頭大汗。

海克力士抓住他的頭使勁的搖，接著又把他的雙手扭到腰後把他舉到半空，像滾木頭一樣讓他滾到地上。然而，大地該亞把他的汗水吸乾，又給他補充新的血液，鬆弛他的筋骨，以便讓他重新戰鬥。他從海克力士鋼鉗般的手中猛烈的掙脫出來。於是，決鬥又進入了新的高潮，宙斯的兒子每次把他打倒在地，大地母親就把力氣和生命傳給他，他就精力充沛的站起來。

最後海克力士終於發現了安泰被打翻在地時吸取了神奇的力量，他高聲喊道：「站起來，安泰，我再也不讓你吸取力量，你將要在我的手下喪命。」說完，海克力士便抓住這位可怕的巨人，讓他雙腳離開大地，緊緊的把他扼在懷中很久很久，最後終於把他扼死。

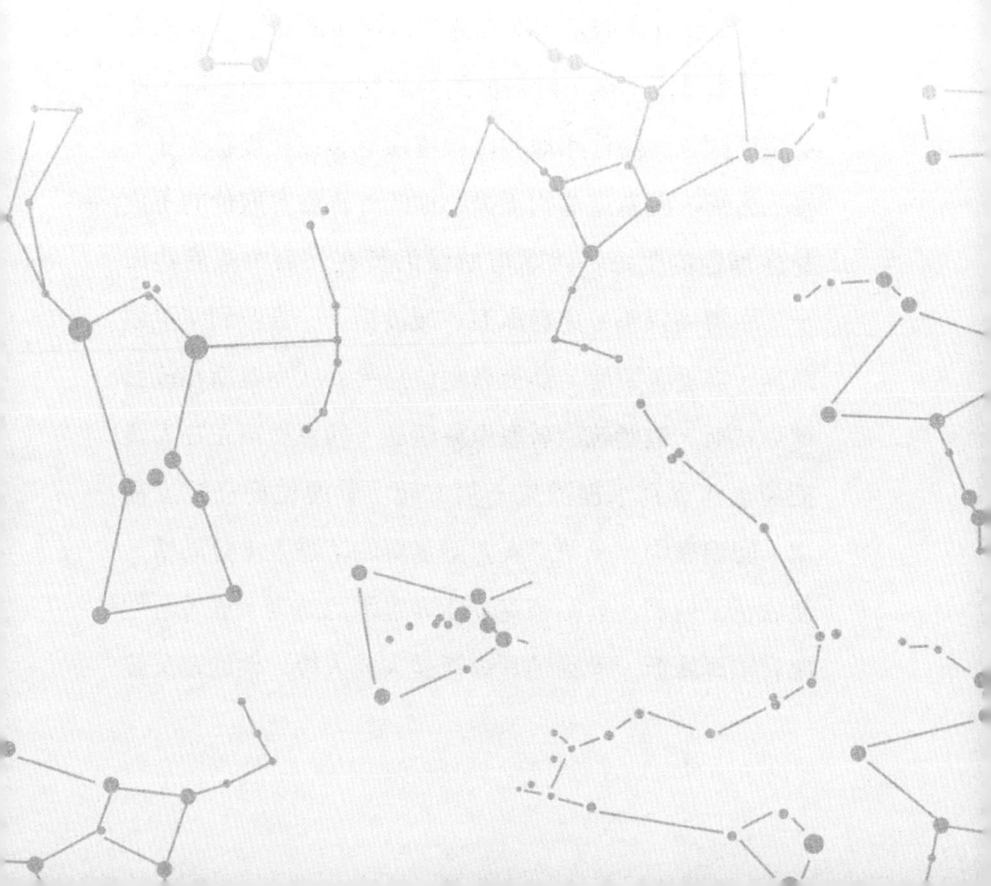

# 21 珀耳修斯

珀耳修斯是宙斯和達那厄所生的兒子，他出生後不久，就被他的外祖父阿克里西俄斯，即亞各斯國王，將他和他的母親達那厄裝在一隻箱子裡，投入大海。因為這個國王擔心他的外孫會奪取他的王位並謀害他的生命。然而宙斯保佑著在大海中漂流的母子，引導這只箱子穿過風浪，最後箱子一直漂到塞里福斯島，靠近了海岸。島上有兩位兄弟，狄克堤斯和波呂德克忒斯，他們統治著塞里福斯島。狄克堤斯正在海邊捕魚，他看到水裡漂來一隻木箱，就連忙把它拉上海岸。回到家中，兄弟二人對遭遺棄的落難人十分同情，便收留了他們。波呂德克忒斯娶達那厄為妻，並悉心地撫育珀耳修斯。等到珀耳修斯長大成人後，他的繼父波

呂德克忒斯勸他外出去冒險，並希望他能夠建功立業。

於是勇敢的小伙子雄心勃勃，決心砍下女妖墨杜薩那顆醜惡的腦袋，把她帶到塞里福斯，交給國王。他整理完行裝就上路了。諸神引導他來到了可怕的百怪之父——福耳庫斯居住的地方。珀耳修斯在那裡遇到了福耳庫斯的三個女兒：格賴埃。她們生下來就是滿頭白髮，三個人只有一隻眼睛，一顆牙齒，彼此輪流使用。珀耳修斯奪走了她們的牙齒和眼睛。她們要求歸還她們這些不可缺少的東西。他提出一個條件，要她們指明到仙女那兒去的道路。這些仙女都會魔法，有幾樣寶物：一雙飛鞋，一只神袋，一頂狗皮盔。無論誰，有了這些東西，就可以隨心所欲的自由飛翔，看到願意看到的人，而別人卻看不見他。珀耳修斯想要得到這三件寶貝，福耳庫斯的女兒們為了拿回自己的牙齒和眼睛，不得不給珀耳修斯指路。

珀耳修斯到了仙女那裡，並得到了三件寶貝。他背上神袋，穿上飛鞋，戴上狗皮盔。此外，他又從赫爾墨斯那裡得到一副青銅盾。他用這些神物把自己武裝起來，向大海那邊飛了過去。那裡住著福耳庫斯的另外三位女兒，即戈耳工。在三個女兒中小女兒墨杜薩是凡胎，珀耳修斯就是奉命來取她的腦袋的。珀耳修斯發現戈耳工們正在睡覺。她們的頭上佈滿了鱗甲，沒有頭髮，頭上盤著一條條毒蛇。她們長著公豬的獠牙，她們有雙鐵手，還有金翅膀，任何人看到她們都會立即變成石頭。珀耳修斯知道這個祕密。他背過臉去，不看熟睡中的女人，然後用光亮的盾牌作鏡子，清楚的看出她們的三個頭像，並認出了誰是墨杜薩。珀耳修斯在雅典娜的指點下順利地割下了女妖的頭。

可是就在珀耳修斯剛要收起刀子的時候，突然從女妖身軀裡跳出一匹雙翼的飛馬珀伽索斯，後面又緊跟著一位巨人克律薩俄耳，他們都是波塞冬的後代。珀耳修斯小心的把墨杜薩的頭顱塞在背上的神袋裡，離開了那裡。這時墨杜薩的姐姐們從床上坐了起來。她們看見了被殺死的妹妹的屍體，便立刻展開翅膀，飛到空中追趕兇手。可是珀耳修斯戴著仙女的狗皮盔，躲過了跟蹤和追捕。

珀耳修斯在空中飛行時遇到了狂風襲擊，被吹得左右搖晃。當他搖擺著經過利比亞沙漠時，墨杜薩的腦袋上滴下的點點鮮血，一直落到地上，變成了各種顏色的毒蛇，世界上許多地方從此以後就有了危險的蛇類。珀耳修斯一直向西飛行，最後在國王阿特拉斯的國土上降落下來，想休息一會兒。這裡有一片叢林，樹上結著金果，旁邊守衛著一條巨龍。珀耳修斯請求讓他在這兒住一夜，但沒有得到允許。因為阿特拉斯擔心他的金果被盜，所以狠心地把珀耳修斯逐出了宮殿。珀耳修斯十分憤怒，當場從神袋中掏出墨杜薩的頭顱，自己卻背過身子，把頭顱向國王遞了過去。國王身材高大，如同一位巨人。他看到墨杜薩的頭後立即變作一塊巨石，簡直像一座大山，他的鬍鬚和頭髮變成了廣闊的森林，肩膀、手臂和大腿變成了山脊，頭顱變成了高高的山峰。

珀耳修斯一路飛行，來到埃塞俄比亞的海岸邊，這是國王刻甫斯治理的地方。珀耳修斯看到聳立在大海之中的山岩上捆綁著一個年輕的女子。海風吹亂了她的頭髮，女子淚流不止。

珀耳修斯為她的年輕美貌所動心，便跟她打起招呼。「你為什麼被捆綁在這裡？你叫什麼名字，家住哪裡？」女子反背著雙手，噙著眼淚，回答說：「我叫安德洛墨達，是埃塞俄比亞國王刻甫斯的女兒。我的母親曾吹噓，說我比海神涅柔斯的女兒，即海洋的女仙們更漂亮。海洋女仙們十分憤怒。她們共有姐妹五十人，一起請海神發大水淹沒了整個國家。海神還派了一個妖怪，吞沒了陸上的一切。神諭宣示：如果想使國家得到解救，必須把我，國王的女兒丟給妖怪餵食。國民頓時鬧得沸沸揚揚，紛紛要求我的父親獻出女兒，拯救全國。絕望之餘，國王只好下令將我鎖在這裡。」她的話剛剛講完，滔天的海浪滾滾而來。海水中冒出了一個妖怪，寬寬的胸膛蓋住了整個水面。安德洛墨達一見，嚇得發出一聲尖叫，她的父母親也趕緊走來。他們看到女兒大禍臨頭，萬分絕望，母親因內疚流露出痛苦的神情。

他們緊緊的抱著捆綁著的女兒，卻無能為力，救不了女兒。這時珀耳修斯說：「我要向她正式求婚，並願意前去搭救她。你們願意接受我的條件嗎？」父母慶幸遇到了救星，連連點頭，不僅答應把女兒許配給他，還答應把王國送給他作為嫁妝。

正在這時妖怪已經游了過來，珀耳修斯見狀便用腳往上一蹬，騰空而起。妖怪看到他在海面上投下的身影，便狂怒的向影子追去，像是意識到有人要搶走它的獵物似的。珀耳修斯猶如一隻矯健的雄鷹，從空中猛撲下來。他用殺死墨杜薩的利劍狠狠的刺進妖怪的背部，只有劍柄露在外面。

他把劍拔出來，妖怪疼得竄到空中，然後又沉入水底，瘋狂的掙扎著。珀耳修斯一再朝它身上刺殺，直到它的口中湧出了黑血。珀耳修斯飛到岸邊，登上山頂，解開她的鎖鍊，把她交給不幸的父母親。他受到隆重的

款待，成了宮廷裡的貴客佳婿。

後來珀耳修斯帶著年輕的妻子安德洛墨達回鄉了。長久幸福的日子在等待著他。他還找到了母親達那厄。但他仍不能避免的給外祖父阿克里西俄斯帶來災難。外祖父由於害怕神諭，悄悄的逃亡外地，到了彼拉斯齊國王那兒。當時，這裡正在舉行比武。他不知道外祖父就在這裡，還準備去亞各斯問候外祖父。珀耳修斯看到比武十分高興，他抓過一塊鐵餅扔出去，不幸正好打中了外祖父。不久，他就知道了他所殺害的人是誰。他深深哀痛死者，把他安葬在城外，並且交換了他所繼承的王國。從此以後命運之神再也不妒忌他了。

# 22 智慧女神雅典娜

雅典娜是宙斯的女兒，她的母親墨提斯是智慧的化身，墨提斯在懷著雅典娜時便覺得她將生下一個非凡的子女。她告誡丈夫宙斯即將出生的孩子將對他的權力和地位構成威脅。於是宙斯毫不猶豫的將懷孕的墨提斯吞進肚中，但是雅典娜非但沒有死去，還吸收了其父的力量和其母的智慧。

有一次，宙斯得了嚴重的頭痛症。包括藥神阿波羅在內的所有山神都試圖對他實施一些有效的治療，但結果都是徒勞的。眾神與人類之父宙斯只好要求火神赫誰斯托斯打開他的頭顱。

火神真的那樣做了。令奧林匹斯山諸神驚訝的是：一位體態婀娜、披堅執銳的女神從宙斯裂開的頭顱中走了出來，她頭戴光芒四射的金盔，身披嶄新的甲冑，手執閃閃發亮的長矛，光彩照人，儀態萬方。看到這位少女眾神驚異、讚歎、崇敬之情油然而生，驚奇的太陽神勒住戰馬停下戰車，整個奧林匹斯山都被她的舞步所震動。她就是智慧與知識女神雅典娜，也是雅典的守護神。

雅典娜從父親的頭中生出來後，就被送到了海神特里同那裡去哺育，特里同自己也有一個女兒名叫帕拉斯，她正好與雅典娜一般大，兩個女孩成天在一起遊玩，形影不離，她們最喜歡玩的遊戲，就是打仗或者比武。兩個女孩都想看看她們誰最強。

有一天她們又拿起長矛玩起來，一時分不出勝負高低。帕拉斯是個聰明機敏的小女孩，她看到雅典娜追來，突然立定，轉身將矛對著同伴，想殺一個回馬槍，真夠危險的。奧林匹斯山上的宙斯見到此狀，唯恐他的女兒受傷趕快用一個羊皮盾將女兒保護起來，帕拉斯見到一個盾牌從天而降，驚恐萬分，一時呆住了，她抬起頭恐懼的望著天空。

雅典娜一看夥伴站著發呆，認為機會來了，她可是不管父親的保護來自何方，馬上繞過面前的羊皮盾，向還在發呆的女伴刺了一槍。她們的長矛可是真格的，這一刺恰好刺中了帕拉斯的致命之處，帕拉斯叫了一聲便倒下了。女兒死了，海神悲痛不已。她不願意再看到雅典娜，便把她送回了奧林匹斯山，因為看到她就會想起自己的女兒，雅典娜的悲哀不亞於朋友的母親，她哭了許多天，眼睛都哭腫了。為了紀念朋友，雅典娜在自己的名字前面加上了三個字，帕拉斯。自那時起，她的正式名字就叫做帕拉斯・雅典娜。

一天，雅典娜為了模仿暴風雨的呼嘯聲，拿了一根鹿骨，細心的在上面挖了幾個孔。她回到奧林匹斯山給聚集在一起的眾神吹奏她剛剛發明的笛子，可是阿芙羅黛蒂和赫拉都取笑她，因為當她吹奏笛子時，臉蛋鼓脹，臉上的線條變形。

戴著金盔的雅典娜女神十分懊惱，她來到一池清泉旁照了照自己的影子，她明白了大伙並沒有無故取笑她。於是，她把笛子扔得老遠。

雅典娜還教人們種植橄欖樹和無花果，據說，從前海神波塞冬和雅典娜爭奪阿提克地區的所有權，永生的眾神被他們聘為裁判，眾神決定讓他們兩個神進行一場比賽，誰給人類贈送最有用的禮物，誰就能獲得這片土地的所有權。

兩個神都同意比試高低，於是波塞冬把他的三叉戟

往岩石上一擊，一匹戰馬便呼嘯而出。而雅典娜則用她那金色的長矛往地上一戳，地上立即出現一株長著銀色葉子的橄欖樹。眾神經過裁判認為橄欖樹是和平的象徵，它比用於屠殺性戰爭的戰馬有用得多。

雅典娜是藝術、工藝和婦女的手工之神，她雙手靈巧，無法忍受別人的挑戰。她的頭巾就是自己親手織造的，赫拉結婚用的連衣裙也是她繡的。一位名叫阿拉喀妮的呂狄亞族少女，她善於織繡，聞名遐邇，譽滿全球，不知天高地厚，似乎瞧不起雅典娜的本領，並常吹噓如有機會定能擊敗女神雅典娜。

一氣之下，女神裝扮成一位滿頭銀絲，臉上佈滿皺紋，四肢乾癟的老婦，拄著枴杖向阿拉喀涅走來，勸告阿拉喀妮應謙虛一些。但那位愚昧無知的女手藝人，竟勇敢的向她發出挑戰。女神卸去偽裝，接受了挑戰。兩位婦女立刻著手創作各自的作品。女神設計的圖案敘述了她與波塞冬爭鬥的故事，而阿拉喀妮則編織了一張精細的網。

之後，阿拉喀妮吃驚的發現自己輸了，因女神的作品要好得多。她感到非常羞恥，便用一根絲線自縊。但是長著一雙藍眼睛的雅典娜出於憐憫，把阿拉喀妮從死神手中奪了回來。「可憐的阿拉喀妮，妳不應該死，但是從今以後，妳的生命就繫在一條線上。」雅典娜對她說。就這樣，阿拉喀涅便變成了蜘蛛，整天懸吊在空中吐絲織網。雅典娜才華橫溢，是腦力勞動和體力勞動的主神。她俏麗的容貌，閃爍著睿智，而一身戎裝，又顯露著英武。

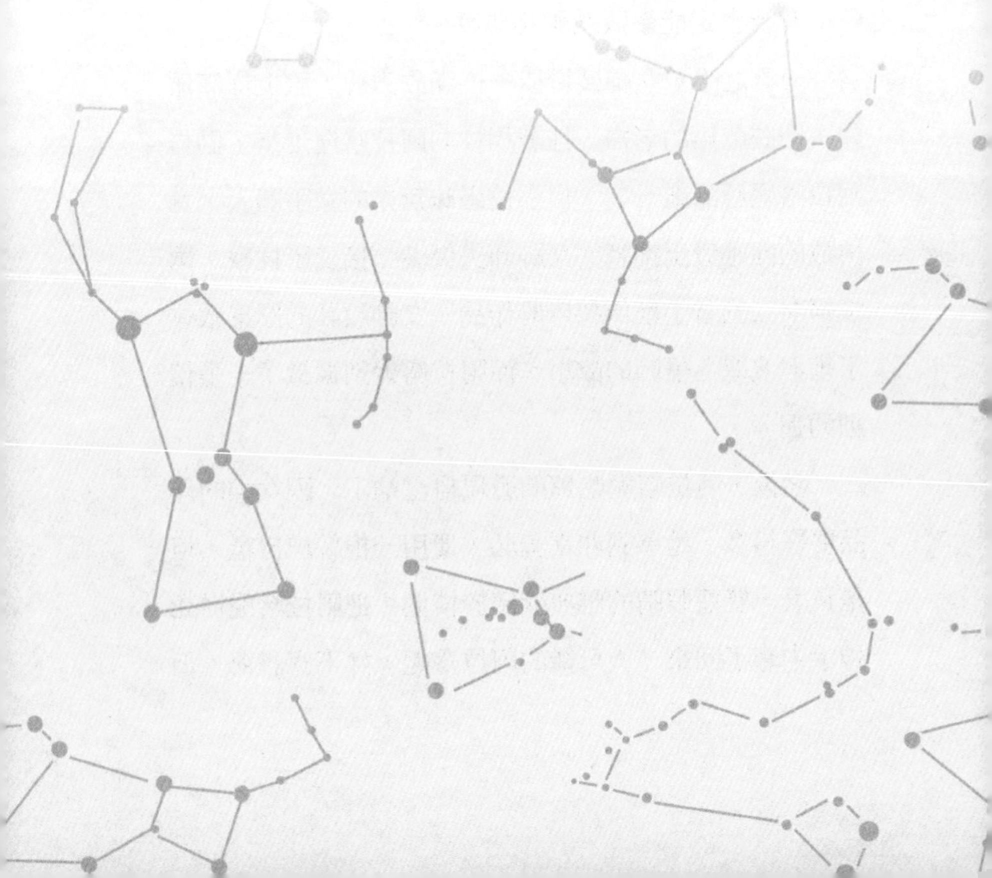

# 23 愛神阿芙羅黛蒂

阿芙羅黛蒂是愛情與美麗的女神，她誘惑所有的神和人，這位愛笑的女神，她用甜蜜或譏諷的聲音笑著那些被她的詭計征服的人。這位令人無法抗拒的女神，她甚至於將聰明者的智慧偷走。

阿芙羅黛蒂是「至美」女神，她的身世很神奇。在那段日子裡，奧林匹斯山神們已開始樂於追求宇宙間的權力。一天，海上漂動的浮泡散發出萬道聖潔的金光。隨著波浪的起伏，一位美麗可愛的少女升出海面，散發出溫暖與魅力。

她被海神帶到了塞浦路斯，後來，塞浦路斯成了她的聖島。她的美麗無法形容，於是，她被理所當然的稱為「美人」。在她不朽的頭顱上有個金皇冠，她的雙目

深沉柔和，雙眉溫暖祥和。她那瀑布般的長髮撒在她優美的頸項以及白皙的胸脯上。此外，她纖巧的手指，玫瑰般白嫩的雙足更為她的美增添了迷人的高貴和典雅。當她第一次出現在奧林匹斯山上時，她纖細匀稱的身段不僅贏得了眾神狂熱的崇拜，還招致了眾女神發瘋般的妒忌。

阿芙羅黛蒂在奧林匹斯山佔有一個席位，這不能不引起一些神的嫉妒。赫拉和雅典娜都說她們能與阿芙羅黛蒂媲美。一天，當眾神正在歡宴，她悄悄來到奧林匹斯山宴會廳，她趁一些神在喝酒，另一些神在聽阿波羅為繆斯伴奏之際，把一個上面刻著「屬於最美者」的金蘋果放在餐桌中間，赫拉把金蘋果拿過來，但雅典娜和阿芙羅黛蒂大叫大嚷，說金蘋果應該屬於她們，並要求宙斯做出裁決，由於這個案子很棘手，眾神之王便將這事推給了英俊的牧羊人帕里斯，宙斯命令赫爾墨斯拿著一個金蘋果交給帕里斯，要帕里斯將金蘋果送給他所認為的最美的女神。

帕里斯把她們一個個端詳一番，面對這三個女神，他猶豫不決，不知該把美貌獎頒發給哪一位，經過反覆考慮他把金蘋果給了阿芙羅黛蒂。雅典娜、赫拉十分生氣，這引發了長達十年的特洛伊戰爭，宙斯、波塞冬、雅典娜、阿瑞斯等都參與了。

從此，阿芙羅黛蒂便成為無可爭議的美神，阿芙羅黛蒂的美貌不僅征服了奧林匹斯山上的天神，還完全征服了人們的心，她以甜蜜的願望給人們點燃激情之火，使他們產生愛情，使他們感到幸福或難以忍受的痛苦。然而，愛不能平均分配，不是每個人都享受得到。受阿芙羅黛蒂庇護的情人會感到甜蜜和幸福，但被她虐待的不幸者則在痛苦中掙扎。

因為單相思是最使人痛苦的。阿芙羅黛蒂的魅力不僅征服了人心和神心，而且她的影響遍及整個大自然，在茫茫大海上她以光的形式出現，驚濤駭浪見到她會立即平靜，暴風見到她也立即停息。她使大地處處充滿生機，繁花似錦，在明媚的春天，阿芙羅黛蒂的活動使花園和叢林特別多產，這時人們都載歌載舞歡迎阿芙羅黛蒂的到來。

阿芙羅黛蒂愛阿多尼斯勝過愛別的任何人，因為他是一個精神抖擻、生氣勃勃的少年獵手。她離開了奧林匹斯山的住所來到林中。她裝扮成一個女獵手，讓這個年輕人整日陪伴左右，並與他一起遊遍了山林、河谷。她跟著獵狗，歡呼雀躍，追趕著無害的動物。他們一起渡過了一段美好時光。雖然她奉勸了他許多次不要捕殺像獅子和狼這類的野獸，但年輕人只是嘲笑她的想法。有一天，當她如此奉勸他之後，她便坐上馬車去奧林匹斯山了。非常湊巧，阿多尼斯的獵狗發現了一頭野豬，使阿多尼斯熱血沸騰，躍躍欲試。他一箭射中了這頭野豬，但是野豬沒死，掉過頭向他衝擊，長牙深深的扎進阿多尼斯的要害部位，將他刺死。

當阿芙羅黛蒂回來之後，發現她的戀人屍骨已寒，她大哭起來。但無法將他從地府再拉回陽間，她便在阿多尼斯的血上灑上葡萄酒，將它變作秋牡丹，一種紫色的小花。阿芙羅黛蒂的心並沒有因此平靜下來，在憂傷和絕望心情的籠罩下，她飛到哈德斯處，乞求他的憐憫。哈德斯一點也不打算答應她的要求。

經過一番口舌之爭，他們達成協議：阿多尼斯每年可以到陽間和阿芙羅黛蒂相聚半年，但剩下的六個月得到天堂渡過。由此每當春天的時候，阿多尼斯就轉世回到阿芙羅黛蒂身邊享受她愛的擁抱，但到了冬天他就得不情願的回到哈德斯那兒。

阿芙羅黛蒂被選為愛和婚姻女神。為了激起宇宙間萬物心中的愛，為了使人、獸以及動植物能夠繁衍，她乘著由麻雀、鴿子或是天鵝駕馭的車子到處遊逛。在她的小兒子愛神厄洛斯的幫助下，她在眾神和人世間挑起了許多悲與歡的動人故事。

由於一時疏忽，她給婚後生活注入了自由戀愛的觀念。她心腸好又有責任心。她隨時準備著去幫助那些遇到麻煩的情侶們。她愛阿多尼斯，又賦予石像蓋拉蒂生命。在競賽中，她還幫了年輕的希波梅彌斯一把。

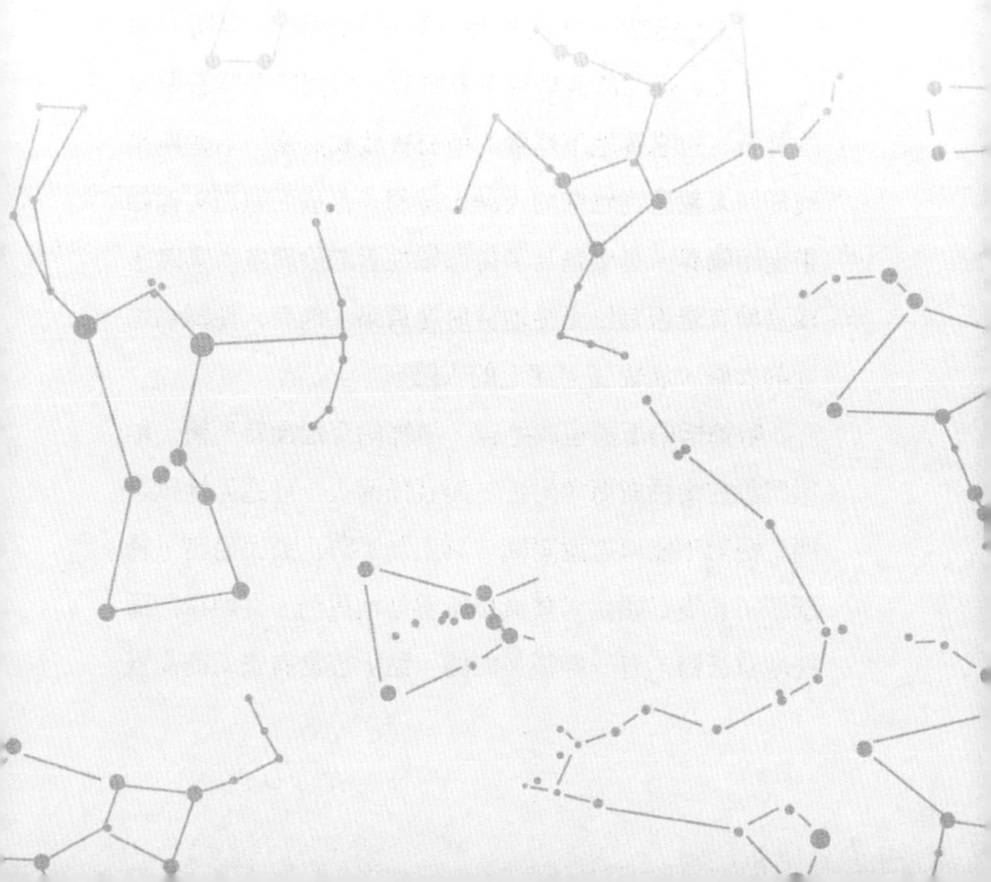

# 24 冥王哈德斯

當宙斯三分世界時，冥王哈德斯是宙斯的哥哥，負責掌管下界冥府，他同時是掌管財富的神祇，也掌管地下埋藏的所有寶藏和財富。哈德斯是使任何人都感到恐怖的天神，每個人都敬而遠之。他如果走出陽界，必然是為了帶領犧牲者的陰魂進入冥府，或者檢查是否有日光從地縫射進黃泉。他有一件聞名遠近的衣服，能使任何穿上的人隱形。

哈德斯的王國也叫地獄，這裡的交通極為不便，地獄門設在泰納斯海角附近，而且任何人一旦進入地獄之門，絕對不能再重返陽間。冥王為了防止人民偷渡，特別派了一隻三頭猛犬薩貝拉斯看守地獄門，從地獄門通往地獄底層，有一條很長的路，路上經常有虛幻的幽靈來來往往，盡頭就是黑地斯和波西鳳的金鑾殿，金鑾殿下面有很多河流往下奔流，其中一條叫做科庫特斯河，是由地獄中服苦役的壞人的眼淚所形成的。所以上面經常發出極恐怖的哀鳴聲，因為這條河的名字本身就是「遠方哭聲」的意思

哈德斯為了劃分地獄的各部門，就用灼熱的火河把每個單位隔離，還有被押到哈德斯面前聆聽宣判罪狀的犯人，在來到這裡以前，必先渡過阿克隆河，這條河的水是黑色，而且水流湍急波浪滾滾，誰也無法游過去，河上更沒有橋樑。只有坐卡龍那艘已經破爛不堪的小船渡過，但得把嘴裡含的一塊錢吐出來做船費，否則卡龍拒載，所以希臘人在家人死後通常都會往嘴裡塞一塊錢，使他能安然渡過阿克隆河。這些等待宣判的人如果沒錢渡河，他們就必須在河岸上苦等一整年。因為到時卡龍會免費接渡。

除了上面所說的河流之外，還有一條叫斯提克河，意思就是「地獄裡的神聖河」。因為在這條河岸宣誓的鬼魂，以後永遠都不能改變，所以任何人都覺得很可怕。

最後還有一條利提河，意思就是「忘川」。當死人剛進入地獄時，必須喝一口河水以便忘掉人間一切的苦樂。

在冥王哈德斯的寶座一側，坐著邁諾斯，拉達曼托斯，艾庫三個審判官，他們專門負責審理新來靈魂的思想、言論、行為，最後再到正義女神尼彌西斯面前，她手持利劍蒙住眼睛，為每個靈魂評善惡。在哈德斯寶座的另一側，還有命運三女神克羅托，拉克西絲，阿特洛波，她們專門負責處理人類的命運。

在整個陰曹地府裡最恐怖的莫過於無間地獄，其實這是陰曹十八層地獄中的最下一層，凡是被打入這一層的人，將永遠接受無限的痛苦和折磨，不過只有在陽間作惡多端，罪大惡極的人才會被打入這一層地獄。總而言之，哈德斯把陰間的事處理得井井有條，紀律嚴明。他個性殘酷，毫無惻隱之心，但正直無私，是一個令人敬畏的神。

據說，有一天這個地獄之王突然想起他需要一個王后，於是他回到人世間漫無目的的尋覓，一天，珀耳塞福涅下凡與其他仙女在恩納採花，可是她不經意地遠離了朋友，美麗的草地上開滿了各種五顏六色的鮮花，然而在眾花之中夾雜著代表冥王的聖花——水仙花！

當珀爾塞福涅去摘那朵看似無害的水仙花時，大地裂開了。黑色的駿馬拉著冥王的戰車，在珀爾塞福涅驚魂的眼前中出現。無論她反抗的是那麼的奮力，但冥王依然輕鬆的抱起這位未來的冥后消失在黑暗的國度。冥王用他的三叉戟對大地用力一擊，大地一震便給他開闢了一條新路，馬車沿著新路飛快駛向深淵，珀爾塞福涅在進入地獄前發出的呼救聲是那麼強烈，以致在海底和山峰都能聽得見。

由於伴隨的仙女沒能阻止哈德斯。使狄蜜特失去了女兒。她知道女兒出了事，她的心像被刀絞一樣痛。她把紮著頭髮的頭帶撕破，在肩上掛上黑紗，離開奧林匹斯山，像一隻受傷的鳥兒一樣，飛到養育人類的土地和大海上尋找被劫的女兒。狄蜜特非常悲傷的在大地上漂泊了九天尋找女兒，她遇到的神沒人願意告訴她女兒的下落，後來無所不見的阿波羅看到了一切，將珀耳塞福涅的下落告訴了狄蜜特，並告訴她這件事是得到了宙斯的默許。得知這件事是得到了宙斯的默許。狄蜜特一氣之下，離開了奧林匹斯聖山，化為一個老婦人繼續在大地流浪。

因為大地聽從哈德斯的命令，吞沒了珀耳塞福涅，所以狄蜜特詛咒大地，使田地荒蕪，顆粒無收，造成了可怕的饑荒。那一年，犁地，播種全都白費勁，地裡什麼也不長，太陽似火，滴雨不下，灼熱的陽光把發芽的麥子全都燒死了。這下天下大亂，連眾神都享受不到人類的貢品了。

最後宙斯無法讓大地上萬物復甦，只好派赫爾墨斯去找他的兄長哈德斯，讓他放回珀耳塞福涅。但由於珀耳塞福涅吃了冥界的一顆石榴，大家達成妥協，在最溫暖的夏季的開始，珀爾塞福涅被交回到自己母親的身邊。珀耳塞福涅每年有九個月的時間在地面上和母親住，剩下的三個月在地府。這樣，狄蜜特終於高興地和女兒重逢，從此之後每到冬天，珀爾塞福涅就要回到地府陪伴冥王哈德斯。

她在陰間和丈夫一起主宰在漫漫的黑暗中漂游的沒有血肉的影子，她的金寶座位於塔耳塔洛斯地獄無底深淵的中央。而狄蜜特也派出戰車去人間播種，讓經歷過嚴酷寒冬懲罰的人間再次恢復生機。

# 25 阿提米斯

月亮女神阿提米斯是太陽神阿波羅的雙胞妹，她是位活潑、健美、爽朗的女神，和哥哥幾乎具有同樣的神性，白天阿波羅駕駛著金色戰車穿越天空，被仰慕為太陽神。晚上，阿提米斯以莊重的姿態飛越夜空，被敬仰為月亮女神。坐在乳白色戰馬驅動的空中馬車中，這位「廣闊天空的王后」向沉睡的大地散發出銀色的光芒。上弦月就是她的弓，靜靜的月光就是她的箭。

月神阿提米斯給大地帶來朝露，月相的變化，這些事物又往往給大地帶來雨水，雪花，冰霜等。她會給耕耘過的土地種上穀麥，豐收在望的田地，正在草地上吃草的畜群帶來益處或造成災害。她帶來的雨水使穀物和

水果生長，成熟，但她要求人們用水果和穀物向她獻祭。如果人們忘了給她獻祭，她就會大發雷霆，用冰霜凍死作物，放逐野獸去踐踏莊稼。

阿提米斯喜歡忘情馳騁在森林草原上，她臉上稚氣未消，肩上挎著箭袋，身旁往往有一頭牝鹿或一條獵狗，儼然是一個出色的獵手。阿提米斯往往手舉火炬，頭髮往上隆起，頭周圍是星星或一輪鐮刀形的新月高掛於前額上方，她體態苗條輕盈，裙子不過膝，露出白皙細長的小腿和勻稱的腳。她有時坐在由大眼牝鹿套著的車子上，母鹿、公鹿、獵狗、公雞、鵪鶉、大熊、野豬和狼對她來說都是神聖的動物，她最喜歡的樹木是月桂樹、愛神木、松柏、雪松和橄欖樹。

阿提米斯心靈純潔，容貌娟秀安詳。她是少女端莊嫻雅的楷模。如果說阿波羅代表了男性美，那麼她則象徵著女性美——貞潔，但阿提米斯卻非常厭惡戀愛，因而凡是侍奉她的女神，都必須立下當永恆處女的誓言。如果有誰膽敢破壞誓約，就會受到嚴重處罰，阿提米斯平日以爽朗優美的姿態，打扮成巾幗英雄般的獵人，率領一群風姿綽約的處女，遨遊於森林山谷之中。

因為她本來就是一位主司狩獵的女神，兼野獸的保護者，並且管轄森林、沼澤、草原，她所發出的箭能射遍海洋與陸地的任何角落，她最喜歡富有林泉的風景區，率領侍奉她的仙女尋幽探勝，她非常寵愛小動物。所以使得牧場和耕地綠草如茵，每當她在山野打獵疲累時，就彈起豎琴或笛子，跟眾仙女婆娑起舞，繆斯女神，優美女神以及其他女神，都經常為她舉行盛大慶典。

雖說宙斯聖潔的女兒渴求永遠保持貞操，但這並非說她不懂得愛情，阿提米斯曾經強烈的愛慕過獵人俄里翁，正當她決定要嫁給俄里翁時卻遭到了阿波羅的竭力反對，由於無法說服姐姐改變主意，他知道阿提米斯是個性格倔強的女孩，他的勸說根本不會打動她。阿波羅一狠心，想出了一條毒計。

一天，俄里翁在海上游泳，他游到離岸邊很遠很遠的地方去，露出水面的頭只剩一個模糊的黑點。這時，阿波羅佯裝懷疑姐姐的箭術他採用激將法，說阿提米斯無法射中那隱約可見的黑點，阿波羅這句話刺痛了她的自尊心。她立即彎弓搭箭，『咻』的一聲，利箭便往那遠處的黑點飛去，她萬萬沒有想到，她射中的遠處的那個黑點正是她的心上人。阿提米斯痛不欲生，最心愛的人竟然死在自己的箭下，阿提米斯一下昏倒了。

宙斯被她對俄里翁的深情所打動，同意讓俄里翁變成獵戶星座。還在他身邊放了大犬座和小犬座，俄里翁在天上過著美好的生活，狩獵仍然是他的業餘愛好，於是宙斯在他身邊放了一隻小小的獵物——天兔座。當夜晚天空無雲，海上風平浪靜時，人們經常聽到他的獵犬在天上吠叫，阿提米斯則舉著火炬緊跟其後，在他們經過的時候，其他星星都得趕快讓路。

這件事後，阿提米斯再也不願意與阿波羅見面了，不論阿波羅怎樣追趕他的姐姐想跟她道歉，阿提米斯總是在他到達的前一刻離開，從此月亮和太陽不再有交集，這就是希臘神話傳說中太陽和月亮不會一同在天空中的原因。

# 26 月亮女神和獵戶座

傳說，古希臘有個貧窮的農夫，他很愛自己的妻子。妻子去世以後，他發誓永不再娶。光陰似箭，轉眼間這位農夫已經是兩鬢斑白的老人了，他年事已高，身單力薄又孤苦伶仃，便想能有個一男半女來伺候他了此殘生。

一天，宙斯和海神波塞冬以及信使赫爾墨斯來到地球上。天黑了，他們又累又渴。為了尋找食物和住處，他們來到這個老農的茅舍。這位老農夫把他們當作迷路的過路人，請他們進茅舍，獻上最好的食物，他斟了一杯酒，端給海神波塞冬，但海神從座位上站起來，恭恭敬敬的把酒獻給宙斯。海神的這一個小動作引起來老農夫的注意，他突然間覺得眼前的人不是凡人，而是萬神之王。

老農夫對宙斯蹲首叩拜。宙斯說：「善良的人呀，我要滿足你的一個請求，你有什麼要求就說給我聽吧！」老人說：「我的妻子死了，我沒有孩子，但我現在無人伺候終老，您可以賜給我一個孩子嗎？」宙斯答應了他的請求，說：「好吧，你殺一頭牛，拿來上供吧！」

於是農夫殺掉了耕牛，並遵照宙斯的吩咐把牛埋掉。就在埋牛的地方，第二天長出了一個孩子，老人為他取名為俄里翁。俄里翁長得很快，不久，他就長成了一個力大無窮，相貌英俊的小伙子。他細心的照顧年邁的老父親，直到終老。老父親死後，俄里翁出外謀生。他找到的第一份職業就是做阿波羅的姐姐，月亮女神阿提米斯的僕人。

月亮女神酷愛打獵，她的箭術可與弟弟阿波羅媲美。月亮女神整夜出去，有仙女們陪同在山林裡狩獵。可是，這位漂亮的女神已經在父親面前發過誓，永不戀愛，永不嫁人。然而，她卻愛上了俄里翁，因為俄里翁是個英俊而且強壯的獵手。月亮女神深深的被俄里翁所打動，她總是讓俄里翁陪著自己，形影不離，朝夕相處。但俄里翁卻沒有想當月亮女神阿提米斯丈夫的念頭。他所愛的是愛琴海開俄斯島國國王的女兒。但是，

當他要求國王把女兒嫁給他時，國王心裡卻不願意，但他嘴上不說，於是國王想了個辦法，他對俄里翁說：「我的王國中，野獸猖獗，只要你能把森林裡的野獸殺光，我就把女兒嫁給你。」國王本想讓俄里翁在獵殺野獸時死在野獸嘴裡，但他失算了，俄里翁很快就把森林裡的野獸都殺光了。

國王一計不成，又生一計。他假意為俄里翁道賀擺宴席，趁俄里翁不防備，國王便把俄里翁的眼睛刺瞎了。俄里翁發現自己雙目失明，痛不欲生。在絕望中，他聽到打鐵的聲音，便請求鐵匠為他指路。鐵匠同意了，在鐵匠的指引下，俄里翁大踏步向著東方走去，當東方的第一束陽光照在他臉上時，他奇蹟般的重見光明，他感到無比高興。

俄里翁拜謝了鐵匠，起身去找月亮女神。阿波羅發現月亮女神愛上了俄里翁，深怕自己的姐姐違背誓言，就心生一計，要月亮女神斷絕對俄里翁的愛情。

他請月亮女神到海邊玩耍，對月亮女神說：「有人說你的箭法跟我的一樣好，我有點兒不相信，你要證實給我看。」

月亮女神說：「我的箭術本來就很好，我可以證實給你看啊。」

阿波羅說：「看，遠處海面上有個黑點兒，我敢打賭，你肯定射不中，而我能射中。」月亮女神說：「你看好了。」說著，她彎弓搭箭，對準那個遠在海面上漂浮的小黑點兒射了過去。一箭射出，那個小黑點兒一下子沉到海裡，再也沒有浮上來。

那個小黑點兒正是俄里翁的頭。後來，月亮女神發現了阿波羅的詭計，知道自己上當受騙了，竟然用自己的雙手殺死了自己心愛的人，於是，她將俄里翁放在群星之中，永遠紀念他，這就是獵戶座。冬天的夜空中最閃亮的星座。月亮女神的誓言，就這樣一直信守了下來。她從此之後絕不允許任何男人看到她。男人一看到她，不是瘋了就是傻了。

有一次，月亮女神看到一個長相英俊的牧羊人，便用雲彩遮住自己去吻他。如此一來，牧羊人即使醒過來，也看不到她的面孔，根本不知道被月亮女神吻過了。從此，這位牧羊人就成了具有奇特想像力的詩人和預言家。據說，那些對著月亮在山頂上入睡的男人都成了瘋子或詩人，就是因為他們在睡夢中被月亮女神吻過了。

## 27 厄洛斯（丘比特）

厄洛斯是愛神，但他的拉丁名稱丘比特更為人熟知。他是阿瑞斯和阿芙羅黛蒂的兒子，是一位小奧林匹斯山神。他的形象是一個裸體的小男孩，有一對閃閃發光的翅膀。他帶著弓箭漫遊。他惡作劇的射出令人震顫的神箭，喚起愛的激情。給自然界帶來生機，授予萬物繁衍的能力。這位可愛而又淘氣的小精靈有兩種神箭：加快愛情產生的金頭神箭和中止愛情的鉛頭神箭。另外，他還有一束照亮心靈的火炬。

儘管有時他被蒙著眼睛，但沒有任何人或神，包括宙斯在內，能逃避他的惡作劇。美狄亞，國王埃厄忒斯的女兒，被厄洛斯的神箭射中，和伊阿宋一起尋覓金羊毛，最後成為這位英雄的妻子。

普緒喀是某國王三個女兒中最漂亮的一個，她是那麼美貌迷人以致人們都像愛慕阿芙羅黛蒂一樣愛慕她。愛與美的女神看到普緒喀和她一樣受到人們的愛慕，便產生了嫉妒之心。一天，她決定對普緒喀進行報復。於是，她把兒子厄洛斯叫到跟前並對他說：「厄洛斯，我的兒子，你一定要幫助母親實現一個計劃，人們居然把我的美貌與一個凡人的相貌相比，我的兒子，你去讓我的對手狂熱的愛戀世上最醜陋、最可悲的男人。」

於是厄洛斯從奧林匹斯山下來，然而，這位淘氣的精靈被自己的箭射中，當他看到普緒喀非凡的美貌時，竟熱烈的愛上了這另一個阿芙羅黛蒂，對人間少女普緒喀熾熱的愛在他心中復甦，以致於他不顧他母親的干預。

他把普緒喀帶到一座坐落在林蔭之中的幽雅而堂皇的宮殿中，厄洛斯不讓普緒喀看見自己，然而他對她非常慇勤，並對她產生極大的魅力。他每天直到晚上才回宮殿和普緒喀聚會，普緒喀要什麼他就給她什麼。可是，普緒喀從來沒有在陽光下或燈光下看見過她心愛的厄洛斯的尊容。一天晚上，她要求厄洛斯讓她用手去撫摸他那還未見過的臉龐，讓她猜想他的容貌，阿芙羅黛蒂的兒子卻回答說：「普緒喀，只要你保守我們愛情的祕密，你就會得到幸福。你也不要試圖知道我是誰，你愛我就是了，千萬不要因為試圖瞭解不應知道的事而把幸福葬送掉。」可是，普緒喀的兩個姐妹嫉妒她的幸福，她們力圖把她毀掉。

於是，她們去說服她，說她所隱居的那座富麗堂皇，滿是財寶的宮殿的主人是個妖怪。「妳如果要確定這是真的，」普緒喀的兩個姐妹補充說：「妳可以把一盞小油燈藏在一個瓦罐裡，當妳所謂的丈夫熟睡時，妳起來把油燈拿到床前照一照，就會看到妳身邊躺著一個什麼樣的怪物。」聽了姐妹兩人的話，普緒喀呆若木雞，心情焦慮不安。

當天晚上，她就把一盞點著的油燈放進一個瓦罐子裡，然後躺在床上等待丈夫進入夢鄉。丈夫睡著後，她就悄悄爬起來拿起油燈走到床前，出乎她意料之外，她看到的不是一個嚇人的怪物，而是一個美男子。

他金黃色的頭髮散發著陣陣幽香，嘴裡散出一股仙酒的香味，結實的肩膀下長著一對粗壯，機靈的手臂，一手執弓另一手彎著放在頭上，露出像百合花一樣的橢圓形臉蛋。普緒喀心中的愛情之火越燒越旺，她想擁吻俊秀的臉龐。可是不料一滴滾燙的油從瓦罐中滴出，掉在了厄洛斯的臉上。厄洛斯痛醒後發現祕密已被揭破，一怒之下展翅飛去，普緒喀痛不欲生，幾次想自殺了之但每次都無法如願。後來，厄洛斯聽說普緒喀忠貞不渝的愛著他。

事後，厄洛斯將她帶到了宙斯面前，正式要求宙斯同意他娶普緒喀為妻。宙斯同意了厄洛斯的請求，他委託赫爾墨斯給普緒喀服下仙丹，讓她與厄洛斯永結百年之好。

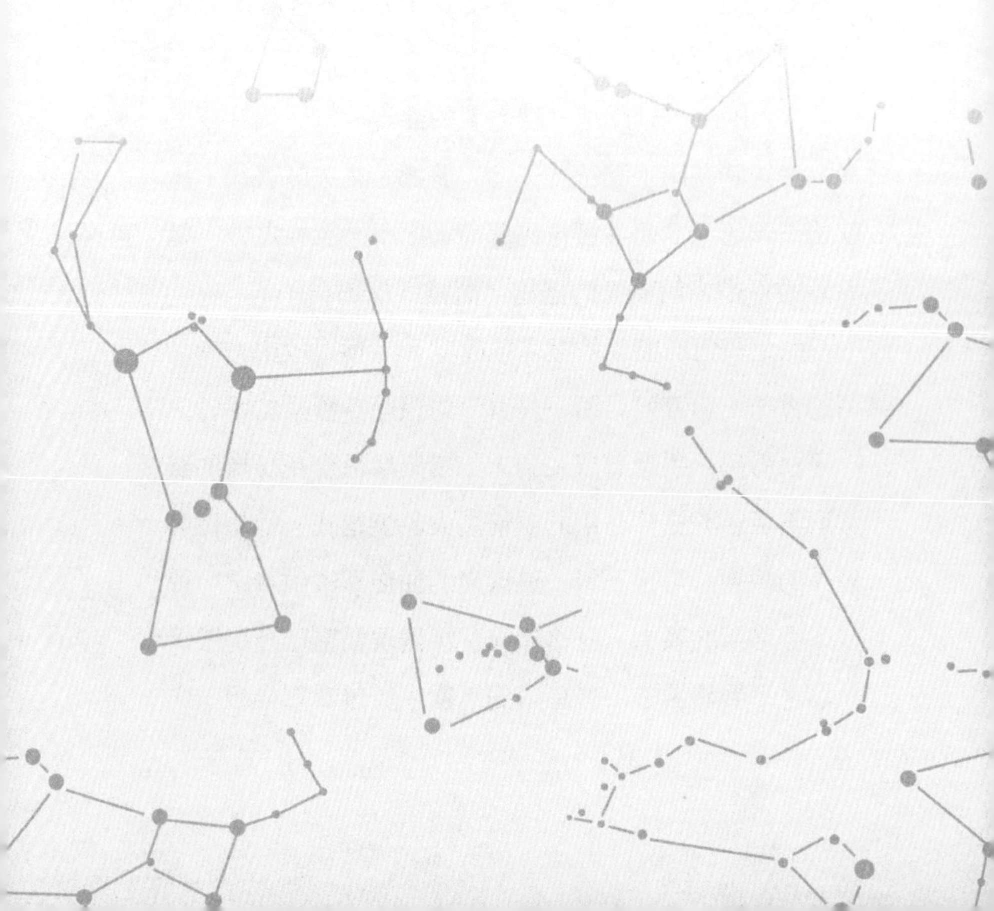

# 28 邁爾斯國王的驢耳朵

邁爾斯是弗里基亞的國王，弗里基亞國遍地玫瑰，在國王的王宮附近，有一座廣大的玫瑰花園。有一天，賽倫諾斯闖進花園裡，他像往常一樣喝得醉醺醺的，他脫離酒神狄俄倪索斯的隊伍而迷了路，這位肥胖的醉翁被一些宮中的僕人發現他睡在玫瑰花蔭的地方，他們用玫瑰花環捆綁他，並在他頭上戴了一頂花冠。然後叫醒他，將他在這令人好笑的打扮下，帶給國王邁爾斯作為取樂的笑料。

邁爾斯見到賽倫諾斯後很歡迎他，並在王宮裡盛情招待了他十天。然後，麥德斯使他回到巴克古斯那裡去了。巴克古斯為他回來而感到高興，於是便告訴邁爾斯，說他想要什麼都可以如願以償。邁爾斯毫不考慮無

可避免的後果，便對巴克古斯說，希望凡是他手摸過的東西都可以成為黃金，巴克古斯聽後答應了他的請求，巴克古斯當然已經知道在下一餐飯時會發生什麼事情。但是，邁爾斯卻全然不知。等到要吃飯時，直到舉到他唇邊的食物成為一塊金屬時為止，在狼狽不堪和飢渴的情形下，邁爾斯被迫急於找尋巴克古斯，求他收回他的禮物。

巴克古斯告訴他前往派克特魯斯河的水源處沐浴，這樣他就會失去這要命的禮物。於是他照著巴克古斯的話去做了。據說，這就是該河沙中發現金礦的原因。後來，阿波羅將他的耳朵變成驢的耳朵。但這種懲罰是由於他的愚笨而非由於犯任何錯。

有一次，阿波羅在和潘神的音樂比賽中，邁爾斯被選為裁判，潘神能用蘆笛吹奏悅耳的聲音。但當阿波羅彈他的七弦銀琴時，除了妙西絲姐妹的合唱外，天上人間都沒有能和他匹敵的樂聲。然而，另一位裁判者山神特莫魯斯雖將勝利標幟的棕櫚葉給予阿波羅，但是，邁爾斯對音樂的認識和對其他方面的認識一樣蠢笨，他卻老老實實的愛好潘神。

當然，這是笨上加笨的事，平時的慎重也該提醒他，以勢力較小的潘神對抗阿波羅，正是危險的事情。

正因如此，他得到了阿波羅賜予他的驢耳。阿波羅說，他只是給如此愚笨鈍拙的耳朵予以適當的形狀而已。

邁爾斯將驢耳藏在為它們特製的帽子裡，但是，還是被替他理髮的僕人看到了。理髮師發誓絕不告訴別人，但是，這個祕密給了他沉重的心理負擔。因此，最後他在田野裡挖一個洞輕聲的對著洞裡說：「邁爾斯王有副驢耳。」說完以後，他感到如釋重負，於是將洞填好。但是，到了春暖花開的時候，那裡長出了蘆葦，當風吹過蘆葦時，它們就輕聲的說出隱藏在洞裡的聲音。不僅說出這愚笨可憐的國王所發生的事，並且向人們啟示，當神們比賽時唯一的安全方法，是偏袒勢力最強的一方。

# 29 法厄同

太陽神的宮殿莊嚴而華麗，一天，太陽神阿波羅的兒子法厄同大步跨進宮殿，他與父親有事要談。他跟父親保持著一段距離，因為父親身上散發著炙人的熱光，所以靠近後常被燒烤得讓人忍受不住，此時阿波羅身穿古銅色的衣服，正坐在國王般的寶座上，座前站立著他的文武隨從，分左右兩行，而阿波羅端端正正的坐在他們中間。

他正要抬頭說話，突然看到兒子來了，兒子也為這天地間稀罕的威武儀仗萬分驚訝。「我的孩子，你有什麼事找我嗎？」父親問道。他友好的問道尊敬的父親，然後回答說：「凡間有人嘲笑我，他們謾罵我的母親克呂墨涅，他們說我的天堂出身是謊話，說我是雜種，說我的父親是不知名和姓的野男人。我因此跑來希望父親給我一個憑證，讓我在全世界能夠出示它，進而表明我是你的兒子。」聽完這番話，阿波羅命令年輕的兒子走上一步，靠近著說話，他擁抱著兒子說：「我的孩子，你的母親，克呂墨涅已將真情告訴我了，我永遠不會在世人面前否認你是我的兒子。為了要永遠消除你的疑慮，你想要什麼禮物儘管提出來，我指著斯堤克斯河發誓，因為諸神都憑這條下界的河發誓，你的願望將得到滿足，無論那是什麼。」

於是法厄同好不容易等他父親說完，就立刻喊道：「那麼讓我的最狂妄的夢想實現吧，讓我有一整天駕駛著太陽車吧！」太陽神聽了這話以後，發光的臉突然因憂懼而陰暗，他搖著他那閃著金光的頭說：「兒子喲，你誘使我說了輕率的話，但願我能收回我的諾言。因為你要求的東西是超過你力量的事，你很年輕，你是人類，但你所要求的卻是神祇才能做的事。而且還是只有我才能做你那麼熱心想嘗試的事，只有我能站立在從空中駛過便噴射著火花的灼熱的車軸上。要駕駛我的車，你會有很多意想不到的危險，即使我給你我的車，你又如何才能克服這些困難呢？不，我的親愛的兒子喲，不要固執著我對於你的諾言，你現在可改變你的願望。你

可以挑選天上地下我所能給予的任何東西。」

儘管阿波羅這樣解釋，法厄同還是繼續懇求又懇求，而且阿波羅畢竟已經說出神聖的誓言。所以只好牽著兒子的手，領他走到赫淮斯托斯所製作的太陽車那裡。阿波羅命令女神們把馬車準備好，並且用聖膏塗抹兒子的臉頰，使他能夠忍受熊熊燃燒的火焰。他把光芒萬丈的太陽帽戴到兒子的頭上，並警告說：「孩子千萬要小心耀眼的光芒，緊緊的抓住轡繩，駿馬識途，你不能過分的彎下腰去，否則地面會烈焰騰騰，甚至會火光沖天。可是你也不能站得太高，當心別把天空燒焦了。你現在還有時間重新考慮一下，把金車交給我。」可是年輕人好像沒有聽到父親的講話，嗖的一聲跳上金車，滿懷喜悅的抓住轡繩，朝著憂心忡忡的父親點點頭，表示由衷的感謝。

法厄同讓馬兒拉著車桿，即將起程了。外祖母忒提絲走上前來，她不知道外孫法厄同的命運，親自給他打開兩扇大門。世界驀的展現在年輕人的眼前，駿馬沿著軌道飛速往前，太陽金車也在空中不斷跳躍，左右搖擺著。套車的駿馬漸漸明白了今天的特殊情況，於是它們離開了平常的軌道，任意的奔跑起來。

法厄同上下顛簸，此時也失去了主張，不知道該怎麼辦，當他偶爾朝下張望看到下面諸多的國家和大片土地時，他變得更加緊張了。他手足無措，不知道怎麼辦才好，只能慌張而又直瞪瞪的看著遠方，雙手抓住韁繩。他不知道自己在什麼地方，他的心情因恐懼而麻木，他在絕望中發冷，鬆落了韁繩。即刻，馬匹們脫離軌道跳到空中陌生的地方，最後馬車衝出雲層，更低更低的向下飛奔，直到車輪觸到地上的高山。大地因灼熱而震動開裂，生物的液汁都被燒乾，一切都開始顫動，草叢枯槁樹葉枯萎而起火，大火也蔓延到平原並燒燬穀物，地上所有的國家和所有的人民都燒成灰燼。

全世界都著火了，法厄同開始感到不可忍受的炎熱和焦灼，他感覺到自己都不能呼吸了，此時煙霧繚繞，到處都是熊熊烈火，馬車在顛簸著，最後他從車上跌落並在空中激旋而下，就這樣法厄同遠離了他的家園，跌落在廣闊的厄里達諾斯河，最後烈火燒死了他。

他的父親太陽神，眼看著這悲慘的景象，憂傷籠罩了他整個人，於是阿波羅褪去了頭上的神光陷於憂愁。據說這一天全世界都沒有陽光，只有大火照亮了廣闊的田野。

# 30 伊翁

雅典的國王厄瑞克透斯有一個漂亮的女兒，名叫克瑞烏薩。她和太陽神阿波羅生了一個兒子。由於害怕父親知道，她把孩子藏在一只箱子裡，放在她跟太陽神幽會的山洞裡，希望眾神會可憐這個被遺棄的兒子。

她還把自己佩戴的首飾掛在孩子的身上作為標記。阿波羅知道這事以後，他請他的兄弟赫爾墨斯，救他的兒子，把用麻布包著的孩子連同箱子，送到他在特爾斐的神殿，放在神殿的門檻上。

因為作為神祇的使者，赫爾墨斯可以在天地之間自由來往，不受阻攔。於是赫爾墨斯展開雙翅，飛到雅典，在阿波羅指定的地方找到了孩子，然後把他放在柳條箱裡，背到特爾斐，按照阿波羅的吩咐，晚上放在神殿的門檻上，並且掀開蓋子，以便讓人容易發現他。

第二天早晨，當太陽升起的時候，特爾斐的女祭司走向神殿，突然發現睡在小箱子裡的嬰兒。她內心產生了一股憐憫之情。於是女祭司把孩子從箱內抱起來，帶在自己的身邊撫育他，儘管她不知道誰是孩子的父母親。孩子一天天長大，終日在父親的神壇前玩耍，卻不知道父母親是誰。他漸漸長成一個高大英俊的少年。特爾斐的居民都把他看作神廟的小守護者，都很喜歡他，讓他看管獻給神祇的祭品。於是他在父親的神殿裡高高興興的生活著。

克瑞烏薩從此以後再也沒有聽到太陽神阿波羅的消息，以為他早已將她和兒子忘掉了。於是她便答應了克素托斯，一個拯救希臘的英雄的求婚。但是這件事激怒了太陽神，為了懲罰克瑞烏薩，她一直沒有生育。若干年後，克瑞烏薩想去特爾斐神殿求子。其實這正是阿波羅的意思，他是絕不會忘掉自己的兒子的。克瑞烏薩公主和她的丈夫帶著一群僕人來到神殿時，阿波羅的兒子正跨過門檻，用桂花樹枝裝飾門框。他看見了這位高貴的夫人，她一見神殿就禁不住掉淚。他小心翼翼的問她為什麼悲哀。

公主沉默了一會，又振作了精神，把年輕人看作神殿的守護者，告訴他說，自己是克素托斯王子的妻子，她與他前來特爾斐，祈求神祇賜給她一個兒子。「福玻斯·阿波羅知道我沒有孩子的原因，」

她歎息著說，「只有他才能幫助我。」

「你沒有兒子，是個不幸的人嗎？」年輕人同情而又傷心的問了一句。「我早就是個不幸的人了，」

克瑞烏薩回答說，「我非常羨慕你的母親，能夠有你這麼一個聰明伶俐的兒子。」「我不知道誰是我的母親和父親，」

年輕人悲傷的說，「我也不知道我是從哪裡來的。我的養母曾經對我說，她是神殿的女祭司，對我十分同情，扶養了我。從此以後，我就住在神殿裡，我是神祇的僕人。」

公主聽到這話，心裡怦然一動。她沉思了一會，又把思緒轉了回來，心疼的說：「我認識一個婦人，她的命運跟你的母親一樣。我是為了她的緣故，才來這裡祈求神諭的。跟我一起過來的還有她的丈夫，他去聽取特洛福尼俄斯的神諭了。

趁他還沒有到，我願意把那位女人的祕密告訴你，因為你是神的僕人。那位夫人說過，在她和現在的這個丈夫結婚之前，曾經跟偉大的神福玻斯・阿波羅交往甚密。她沒有徵求父親的意見便跟阿波羅生了一個兒子。女人將孩子遺棄了，從此就不知道他的音訊。為了在神祇面前打聽她的兒子是活著還是死了，我代那位女人親自趕到這裡。」

年輕人尋思著自己的命運跟那個女人多麼相似，只是彼此又不相識。克瑞烏薩打斷他的沉思說：「那位女人的丈夫過來了。我向你吐露的祕密你千萬別讓他知道。」克素托斯高高興興的跨進神殿，向他的妻子走來。「特洛福尼俄斯給了我一個好的消息，他說我不會不帶著一個孩子回去的。咦！這位年輕的祭司是誰？」克素托斯問。

年輕人走上一步，謙恭的回答說，他只是阿波羅神殿的僕人。不一會兒，克素托斯王子興沖沖地走了出來。他突然狂熱的抱住守在門外的年輕人，連聲叫他「兒子」，要求他也擁抱自己，給自己送上一個兒子的吻。年輕人不知道發生了什麼事，以為他瘋了，便冷漠的用力將他推開。可是克素托斯並不在乎。「神已親自給我啟示，」

他說，「神諭宣示：我走出門來遇到的第一個人便是我的兒子。我相信神靈的話，他也許會親自給我闡明的。」克素托斯答應不在雅典人和妻子面前認他為兒子，他給他取了一個名字，叫伊翁，即漫遊天涯海角的人。

這時，克瑞烏薩還在阿波羅的祭壇前祈禱，女僕跑來告訴了她這件事。這時，從眾人中間走出一個老僕人，他一心忠於厄瑞克透斯家族，並對女主人十分忠誠。他認為克素托斯國王是不忠實的丈夫，憤怒而又妒忌的出主意，要消滅這個私生子，以免他繼承厄瑞克透斯的王位。克瑞烏薩想著自己已被丈夫和從前的情人，即阿波羅所遺棄，感到悲憤難忍，就同意了老僕人的陰謀，並對他講明了她從前跟太陽神的關係。

克素托斯跟伊翁離開神殿後，他們一起登上巴那薩斯的山頂，王子在這裡澆酒在地祭祀之後，伊翁在僕人的幫助下在曠野上搭了一座華麗的帳篷，上面蓋著他從阿波羅神廟裡帶來的精美的花毯。

雅典人克素托斯派使者到特爾斐城，邀請所有的居民前來參加盛宴。不久，帳篷裡擠滿了頭戴花環的貴客。在飯後用點心的時候，走出一位老人，老人站在酒櫃前，侍候客人。等到宴會終席，笛聲吹起時，他連忙吩咐僕人給年輕的新主人斟酒。他趁人不注意時將金碗輕輕晃了晃，碗內放著置人死命的毒藥。老人悄悄的來到伊翁身旁往地上滴了幾滴烈酒，算是祭祀。這時候只聽見旁邊站著的一個僕人不經意的罵了一句。伊翁是在神殿裡長大的，知道在神聖的教儀中這是一種不祥的預兆，於是便把杯裡的酒全倒在地上，並吩咐僕人重新給他遞上一支杯子斟上酒，然後用這杯酒進行隆重的澆祭儀式。客人們全都跟他這樣做。這時，外面飛進來一群聖鴿，它們都是在阿波羅神殿裡長大的。

鴿子飛進帳篷後看到地上全是澆祭的美酒，都飛下去爭相搶飲。別的鴿子喝過祭酒後都安然無恙，只有喝過伊翁倒掉的第一杯酒的那隻鴿子拍扇著翅膀，搖晃著發出一陣哀鳴，不一會兒就抽搐而死。

伊翁憤怒的從椅子上站了起來，緊握雙拳，一把抓住老人，老人出人意料的承認了這件罪行，但把罪過推在克瑞烏薩的身上。聽了這話，伊翁離開帳篷，在外面空地上，他對著天空高舉雙手，朝著四周圍著他的特爾斐貴客說：「神聖的大地喲，你可以為我作證，這個異國的女子竟然想用毒藥除掉我！」

「用石頭打死她！用石頭打死她！」周圍的人異口同聲的喊道，並跟著伊翁一起去尋找罪惡的女子。克素托斯隨著人潮，不知道到底該怎麼辦。

克瑞烏薩在阿波羅的祭壇旁等待著罪惡陰謀的結

果，她丈夫身旁一名忠實於她的僕人，急匆匆的搶先跑了進來，特地趕來告訴她陰謀已經敗露，特爾斐人要來找她算帳。聽到這個消息，克瑞烏薩的女僕人一齊將她圍了起來保護她。正在這時，一群暴怒的人在伊翁的率領下已經越來越近。他們來到祭壇旁。伊翁抓住這個女人，他不知道她正是他的生母，卻把她看作不共戴天的死敵；他想拖著她離開祭壇，而神聖的祭壇成了她不可侵犯的避難所。

阿波羅不願看到自己的兒子成為殺死生母的兇手。他把神諭暗示給女祭司，讓她明白了事情的原委，知道她領養的孩子不是克素托斯的兒子，而是阿波羅和克瑞烏薩的兒子。她離開了三足聖壇，找出她從前在殿門口找到的盛放嬰兒的小箱子，匆忙來到祭壇前，看到克瑞烏薩在伊翁的拉扯下正拚命掙扎。

伊翁看到女祭司，連忙虔誠地迎上去。女祭司警告他說：「伊翁，請以一雙乾乾淨淨的手回到雅典去！」伊翁沉思了一會，尋找著合適的回答：「殺掉自己的敵人難道沒有道理嗎？」「在我把話講完以前，你千萬別動手！」仁慈的女祭司說，「你看到這只小箱子了嗎？你就是裝在箱子裡被遺棄在這兒的。」

伊翁熱情的伸過手接住小箱子，從裡面取出一堆小心折疊著的麻布。他含著淚，悲傷的端詳著這些寶貴的紀念物。克瑞烏薩也漸漸的恢復了鎮靜，她一眼看到伊翁手裡的麻布和小箱子，明白了真相。她跳起身來離開了祭壇，高興的叫起來：「我的兒啊！」她說完便伸出雙手緊緊抱住驚異不已的伊翁。伊翁卻滿腹狐疑的看著她，不情願的掙脫了身子。克瑞烏薩往後退了幾步，說：「這塊麻布將證實我的話。孩子！你把它攤開，就能找到我當年給你做的標記。這塊布的中間畫著戈耳工的頭，四周圍著毒蛇，如同盾牌一樣。」

伊翁半信半疑地打開麻布，突然驚喜的叫了起來：「呵，偉大的宙斯，這是戈耳工，這兒是毒蛇！」「箱子裡還有一條金龍項鍊，」克瑞烏薩繼續說，「是用來紀念厄里克托尼俄斯箱子裡的巨龍的。這是送給嬰兒掛在脖子上的首飾。」伊翁在箱子裡又搜索了一陣，幸福的微笑著，他找到了金龍項鍊。「最後一個信物，」克瑞烏薩說，「是橄欖葉花環，這是用從雅典橄欖樹上摘下來的橄欖葉編成的，是我把它戴在新生兒的頭上的。」

伊翁伸手在箱子底又搜索了一陣，果然找到一個美麗的橄欖葉花環。「母親，母親！」他呼喊著，哽咽著，一把抱住母親的脖子，在她的面頰上連連吻著。最後他鬆開了手，想去尋找父親克素托斯。這時，克瑞烏薩對他說出了他出生的祕密，說他就是在那座神殿裡忠誠的侍候了那麼多年的阿波羅神的兒子。克素托斯把伊翁看作神祇恩賜的寶貝。三人都到阿波羅神殿裡，感謝神恩。女祭司坐在三足祭壇上給他們預示，伊翁將成為一個大族的祖先，即愛奧尼亞人的祖先。

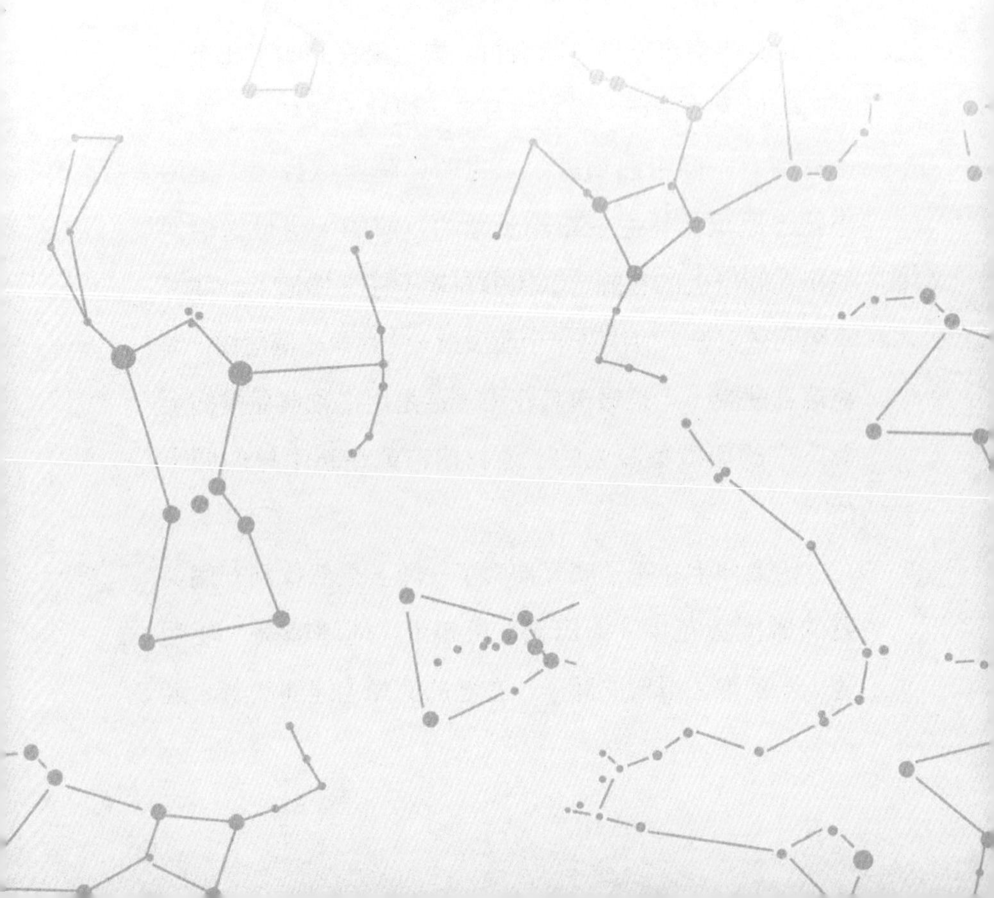

# 31 杜卡利翁和皮拉

在青銅人類的時代，作為宇宙之主的宙斯不斷的聽到這代人的惡行和弊端，便決定親自扮作凡人的模樣前去視察人間，他來到大地以後發現情況比傳說中還要惡劣。

一天傍晚，他趁著夜幕走進阿耳卡狄亞國王呂卡翁的內室，呂卡翁不僅待客冷淡，而且殘暴成性。宙斯以神奇的先兆，表明自己是個神。一群人看得目瞪口呆，都一字排開跪下來向他頂禮膜拜。但呂卡翁卻不以為然他嘲笑這些虔誠的人裝模作樣，說：「讓我們考證一下，看看他到底是凡人還是神？」於是，他暗自決定趁著來客半夜熟睡的時候將他殺害。

在這之前他首先悄悄的殺了一名人質，這是摩羅西

亞人送來的可憐人。殺掉的人質被洗剝以後，呂卡翁讓人剁下他的四肢，然後扔進滾開的水裡煮，屍體的其餘部分放在火上烤，以此作為晚餐獻給陌生的客人。宙斯把這一切都看在眼裡，他被激怒了，從餐桌上跳起來，喚來一團復仇的怒火，投放在這個不仁不義的國王的宮院裡。國王驚恐萬分，想逃到宮外去。可是，他發出的第一聲呼喊就變成了淒厲的號叫；他身上的皮膚變成粗糙多毛的皮；兩隻手竟然顫顫悠悠的落到地上，變成了兩條前腿。從此呂卡翁成了一隻嗜血成性的惡狼。

宙斯回到奧林匹斯聖山。他與諸神商量，決定根除這一代可恥的人。他正想用閃電懲罰整個大地，可是擔心蒼天會陷入火海，擔心宇宙之軸會因此而被燒燬。於是，他放棄了這種粗暴報復的念頭，放下獨眼神給他煉鑄的雷電錘，決定向地下降下暴雨，決定用洪水滅絕人類。這時，所有的風都被鎖在埃俄羅斯的地窖內，只有南風例外。南風接受了命令，扇動著濕漉漉的翅膀直撲地面。南風面目猙獰，一張臉黑得猶如鍋底。鬍鬚沉甸甸的，好像滿天烏雲。洪濤流自他的白髮，霧靄遮蓋著前額，大水從他的胸脯湧出。南風升在空中，用手緊緊的抓住濃雲，狠狠的擠壓。頓時，雷聲隆隆，大雨如注。田地裡的青苗全被泡出土地，農民整整一年來的辛勤勞動付諸東流。

海神波塞冬也不甘寂寞，急忙趕來破壞。波塞冬把所有河流都召集起來說：「你們應該肆無忌憚的掀起萬丈狂瀾，沖毀房屋，搗毀堤壩。」河流們聽從命令以後，雀躍歡騰不折不扣的完成他的命令。波塞冬親自上陣，手執三叉神戟，撞擊大地，為洪水開路。洪水突破缺口洶湧澎湃，勢不可擋。頃刻間，水陸莫辨，整個大地一片汪洋，無邊無際。人類面對滔滔的洪水，絕望的尋找救命的辦法。有些人爬到高山，有些人划著船航行在淹沒的屋頂上，魚在樹枝間掙扎，逃遁的牡鹿和野豬則為濤浪所淹沒。所有的人都被洪水沖走，倖免於難的人後來也餓死在光禿禿的山頂上。

在福喀斯的陸地上，仍然有著一座山，它的山峰高出於洪水之上，那是帕耳那索斯山。普羅米修斯的兒子杜卡利翁，由於受到他的父親關於洪水的警告，他造了一艘小船，當洪水到來時，他和妻子皮拉駕船駛往帕耳那索斯。被創造的男人和女人再也沒有比他們更善良，更虔誠的了。宙斯召喚大水淹沒大地，報復了人類。他從天上俯視人間，看到千千萬萬的人中只剩下一對可憐的人，還在水中漂泊。這是一對無辜而又信仰眾神的夫婦。宙斯平息了怒火，他喚來北風，北風頓時驅散了重重烏雲，牽走了濃濃密霧，讓天空重見光明。海神波塞冬見狀也立即把三叉戟擱在一旁，海水馴服的退到高高的堤岸下，洪水也回到原來的河床，終於從陸地上退了回去。

杜卡利翁環顧四周，荒蕪的大地一片泥濘，世界猶如一座大墳墓，靜寂得可怕。先前的喧嘩已經無影無蹤，看著這一切他的眼淚止不住的滑落面頰。他回過頭去，對妻子皮拉說：「親愛的，周圍沒有看到一個活人，這個世界的整個人類就剩下我們兩個了，其他人全都命歸水下，可是我們也很難生存下去。即使將來沒有危險了，我們孤孤單單的被拋在這個被眾神遺忘了的地球上，又怎麼生活呢？唉，要是我的父親普羅米修斯教會我造人的本領，教會我如何把靈魂灌注在捏成的泥團裡，那該多好啊！」妻子聽他說完，也很悲傷。兩個人抱頭痛哭，他們不知該怎麼辦。只好來到一半已被毀壞了的女神忒彌斯的神壇前，雙雙跪下懇求著說：「女神啊，請告訴我們，該如何創造已經滅亡了的一代人類。請幫助沉淪的世界再生吧！」

「離開我的聖壇，」女神的聲音回答說，「戴上面紗，解開腰帶，然後把你們母親的骸骨扔到你們的身後去！」

兩個人聽了這神祕的言語，十分驚訝，莫名其妙。

皮拉首先打破了沉默，說：「高貴的女神，寬恕我吧。我不得不違背妳的意願，因為我不能扔掉母親的遺骸，不想冒犯她的陰魂！」

但杜卡利翁的心裡卻豁然明朗，他頓時領悟了，於是好言撫慰妻子說：「如果我的理解沒有錯，那麼女神的命令並沒有叫我們做不敬的事。大地是我們仁慈的母親，石塊一定是她的骸骨。皮拉，我們應該把石塊扔到身後去！」

於是兩人將信將疑的想嘗試一下。他們轉過身子，蒙住頭，再鬆開衣帶，然後按照女神的命令，把石塊朝身後扔去。一種奇蹟出現了：石頭突然不再堅硬、鬆脆，而是變得柔軟，巨大，逐漸成形。人的模樣開始顯現出來，可是還沒有完全成型，只是一個粗略的輪廓。石頭上濕潤的泥土變成了一塊塊肌肉，結實堅硬的石頭變成了骨頭，石塊間的紋路變成了人的脈絡。奇怪的是，杜卡利翁往後扔的石塊都變成了男人，而妻子皮拉扔的石頭全變成了女人。

直到今天，人類並不否認他們的起源和來歷。這是堅強、刻苦、勤勞的一代。適宜從事任何繁重的勞動，皮拉後來給杜卡利翁生下兒子赫楞，後來赫楞成了希臘人的祖先。

## 32 代達洛斯

代達洛斯是一位偉大的藝術家，也是位建築師和雕刻家。世界各地的人都十分讚賞他的藝術品。因為從前的大師創作石像都是閉著眼睛的，雙手連著身體，無力的垂落下來。而他是第一個讓雕刻的人像張開眼睛，往前伸出雙手，並邁開雙腿好像走路一樣，形象逼真，栩栩如生。但是，代達洛斯卻是一個虛榮心重和小心眼的人。正是這個缺點造成了他的不幸。代達洛斯有個外甥，名叫塔洛斯。起初，塔洛斯跟他學習雕塑，他很高興，盡心盡力的教這個「徒弟」。但塔洛斯的天分比代達洛斯高，並立志做出更大的成就。還在孩童時期，塔洛斯就已經發明了製作陶瓷器所用的轉盤、鋸子和圓規。他是個善於動腦筋的人，還發明了別的巧妙的工具。他的名聲遠遠超過了他的舅舅代達洛斯。代達洛斯看到塔洛斯取得的成就已超過了自己，一股嫉妒的怒火油然而生，竟陰險的把他從雅典城牆上推了下去，殘酷的殺害了自己的學生也是外甥。代達洛斯埋葬屍體的時候，十分驚恐，慌慌張張的，後來被人發現了，他被指控謀殺，受到希臘雅典最高法院的傳喚和審訊。

虛榮的他受不了萬眾矚目下的審判，於是他逃脫了，流浪多時，最後來到克里特島。他成為國王彌諾斯的好朋友，並在那裡住下來。

國王知道代達洛斯是個心靈手巧的工匠後，委派他給牛頭人身的巨怪彌諾陶洛斯建造一個籠子，但不要讓他感到是被關在了籠子裡，而且還要讓進去的人都感到暈頭轉向，迷失方向，永遠關在裡面出不來。代達洛斯頭腦靈活，盡心建造了一座迷宮。裡面迂迴曲折，使進去的人不由得眼花繚亂，雙腳不由自主的走到岔道上去。迷宮建好後，代達洛斯走進去察看，連自己都幾乎找不到出口處。彌諾陶洛斯就深藏在迷宮的深處。根據古老的規定，雅典城每九年必須給克里特國王送上七名童男童女，作為進貢彌諾陶洛斯的祭品。

代達洛斯雖然受到讚譽，但國王仍然不信任他，而且他也不願意在這個遠離家鄉的孤島上虛度一生。他想設法逃走。久經考慮後，他想到了一個辦法。

他高興的說，彌諾斯雖然可以從陸上和水上封住我的去路，但在空中我是暢行無阻的。他收集大大小小的羽毛，把最小最短的羽毛拼成長毛，再把羽毛用麻線在中間捆住，在末端用蠟封牢。這樣，他就可以在天空中飛了。

代達洛斯有一個兒子叫伊卡洛斯，當父親工作時，他就在旁邊幫忙。代達洛斯很喜歡他，代達洛斯把翅膀做好後，綁在身上試了試，他可以像鳥一樣的飛翔了。他又給兒子做了一對翅膀，指導兒子伊卡洛斯如何操縱。「你要當心，」他叮囑道，「必須在半空中飛行。你如果飛得太低，羽翼會碰到海水，沾濕了會變得沉重，你就會掉進大海裡；要是飛得太高，翅膀上的羽毛會因靠近太陽而著火。」代達洛斯一邊說，一邊把羽翼給兒子綁在他的雙肩上，但他的手卻在微微的發抖。他給了兒子一個鼓勵的吻，就開始飛行了。

兩個人鼓起翅膀漸漸的升上了天空。父親飛在前頭，他像帶著初次出巢的雛鳥飛行的老鳥一樣，小心的揮著翅膀，不時的回過頭來，看兒子飛行得怎樣。開始時一切都很順利。不久他們就到達薩瑪島上空，隨後又飛過了提洛斯和培羅斯。伊卡洛斯興高采烈，他感到飛行很輕鬆，不由得驕傲起來。於是，他操縱著羽翼朝高空飛去，可是懲罰也終於到來了！太陽強烈的陽光融化了封蠟，用蠟封在一起的羽毛開始鬆動。羽翼散開，從他的雙肩上滾落下去。不幸的孩子掉進了海裡，萬頃碧波把他淹沒了。這一切發生得很突然，瞬間便結束了，代達洛斯根本沒有覺察到。當他再次回過頭來時，沒有看見他的兒子。「伊卡洛斯，伊卡洛斯！」他預感不妙，大聲呼喊起來，「你在哪裡？我到哪裡才能找到你？」最後，他驚恐的發現海面上漂著許多羽毛。

代達洛斯連忙收住羽翼，降落在一座海島上，洶湧的海浪把他兒子的屍體推上了海岸。被他殺害的塔洛斯以此報了仇雪了恨！絕望的父親掩埋了兒子的屍體。為紀念他的兒子，從此，埋葬伊卡洛斯屍體的海島叫做伊卡利亞。

代達洛斯懷著悲痛，又繼續飛行。他飛向西西里島，這裡是國王科卡羅斯統治的地方。他在這裡也受到盛情接待，被當作貴客。他的藝術天才使當地居民十分驚喜，他在那兒幫他們興修水利，造了人工湖泊，又把湖水順著河流一直送到附近的大海。在陡峭的山巒頂上建造了一座堅固的城堡，科卡羅斯國王選擇這座難以攻克的城堡存放他的珍寶。代達洛斯在西西里島上完成的第三件工程，是在地面上挖一座深洞。他從洞裡巧妙的引取地下火的熱氣，所以，即使一座潮濕的岩洞，現在也舒適得如同暖室，好像岩洞裡安裝了取暖設備一樣，人在慢慢的出汗，卻又不嫌太熱。此外，他還擴建了厄里克斯山上的阿芙羅黛蒂神廟，給女神獻祭了一隻金蜂房。在代達洛斯精心的雕刻下，那些小蜂窩看起來幾可亂真，就跟天然的蜂窩一模一樣。

國王彌諾斯聽說代達洛斯逃到西西里島，非常惱怒，決定派出強大的部隊，把他重新搶回來。他裝備了一支艦隊，從克里特一直駛往西西里島。他的軍隊上島以後駐紮下來，然後他派出使者前往京城，要求國王科卡羅斯交出逃亡的代達洛斯。科卡羅斯假裝答應他的要求，邀請他赴會商談。彌諾斯來了，受到科卡羅斯的盛情款待。經過長途跋涉，彌諾斯準備洗個溫水澡來消除旅途的疲勞。等他坐在浴缸裡時，科卡羅斯要人不斷加火升溫，直到彌諾斯燙死在沸水裡。

代達洛斯成了科卡羅斯國王的座上客。他在這裡培養了許多有名的藝術家。他在這裡雖然受到敬重和禮遇，但他內心卻一直不快樂，晚年時更加憂鬱、苦惱。最後，他死在西西里島，並被埋葬在那裡。

# 33 褻瀆神祇的坦塔羅斯

坦塔羅斯是宙斯和他最喜歡的仙女所生的兒子，宙斯對他寵愛有加，讓他統治著呂狄亞的西庇洛斯，讓他統治的國家國富民強，物產豐富，因而他是個富有的國王，而且無論在大地上還是在神界，他都是以富有而出名的。

由於坦塔羅斯出身高貴，他可以跟宙斯同桌用餐，同房睡眠，不用迴避神祇們的談話，神祇們的祕密他都知道，諸神對他十分尊敬。以他半神半人的身分在天上受到如此隆重的禮遇，讓他的虛榮心日益膨脹起來，他開始目中無人，對其他神仙頤指氣使，這使他實在不配享有天上的福祉。他開始對諸神作惡，他洩漏他們生活的祕密；從他們的餐桌上偷取蜜酒和仙丹，並把它們分給凡間的朋友；他把別人在克里特的宙斯神廟裡偷走的一條金狗藏在家裡，坦塔羅斯窩藏贓物，拒不交出，將金狗竊為己有。

他為了試探諸神是否知道他所做的惡事，就在家裡宴請諸神。他邀請諸神到家中作客。他讓人把自己兒子珀羅普斯殺死，然後煎烤燒煮，做成一桌菜餚，款待他們。

在場的其他的神祇早已識破了他的詭計，紛紛把撕碎的男孩肢體丟在餐桌中間的盆裡。穀物女神狄蜜特因思念被搶走的女兒珀耳塞福涅，而在宴席上心神不定，只有她出於禮貌稍微嘗了一塊肩胛骨。

命運女神克羅托將珀羅普斯的肢體從盆裡取出，組裝起來，讓他重新活了過來，可惜肩膀上缺了一塊，那是被狄蜜特吃掉的，後來只好用象牙補做了一塊。

坦塔羅斯因此得罪了神祇。他罪惡滔天，被神祇們打入地獄，在那裡備受苦難和折磨。他站在一池深水中間，波浪就在他的下巴上翻滾。可是他卻忍受著烈火般的乾渴，喝不上一滴涼水，雖然涼水就在嘴邊，但是他只要彎下腰去，想用嘴喝水，池水立即就會從身旁流走，留下他孤身一人空空的在一塊乾涸的平地上，就像有個妖魔做法，把池水抽乾了似的。同時他又飢餓難

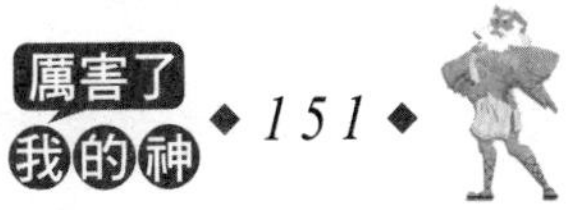

忍，在他身後就是湖岸，岸上長著一排果樹，結滿了纍纍果實，樹枝被果實壓彎了，吊在他的額前。他只要抬頭朝上張望，就能看到樹上蜜水欲滴的鮮梨、鮮紅的蘋果、火紅的石榴、香噴噴的無花果和綠油油的橄欖。這些水果似乎都在微笑著向他打招呼，可是，等他踮起腳來想要摘取時，空中就會刮起一陣大風，把樹枝吹向空中。除了忍受這些折磨外，最可怕的痛苦則是連續不斷的面對死神的恐懼，因為他的頭頂上吊著一塊大石頭，隨時都會掉下來，將他壓得粉碎。

坦塔羅斯蔑視神祇，被罰入地獄，永無休止的忍受三重折磨。

# 34 珀羅普斯的故事

珀羅普斯是坦塔羅斯的兒子，就是曾經被坦塔羅斯殺掉做成菜餚用以試探諸神，後來又被命運女神救活的那個。坦塔羅斯褻瀆神祇，而他的兒子珀羅普斯與父親相反，對神祇十分虔誠。父親被罰入地獄後，他被鄰近的特洛伊國王伊洛斯趕出了國土，流亡到希臘。

珀羅普斯在希臘流亡時，心裡卻早已選中了一位妻子。他選中的妻子名叫希波達彌亞，是伊利斯國王俄諾瑪諾斯和斯忒洛珀的女兒。要娶到這個女子很不容易，因為一個神諭曾經對她的父親預言：女兒結婚時，父親便會死亡。父親信以為真，因此千方百計的阻撓任何人前來向他女兒求婚。

他讓人四處張貼告示，說凡是向他女兒求婚的人，就必須跟他賽車，只有贏他的人才能娶他的女兒。如果國王贏了，那麼他的對手就得被殺死。比賽的起點是比薩，終點是哥林多海峽的波塞冬神壇。國王規定了比賽的規則：求婚者駕著四馬戰車先走，他則是先給宙斯獻祭一頭公羊，等到獻祭儀式完畢後，他就開始追趕。他的車伕叫密耳提羅斯，國王站在車上，手執一根長矛。他如果追上競賽者，就有權用長矛將對手刺翻在地。

愛慕希波達彌亞年輕美貌的求婚者，聽說了這個條件，都覺得很容易，因為他們都知道國王俄諾瑪諾斯年老體弱，本來就贏不了年輕人，他故意讓年輕人先走一程，這樣，即使輸了，也可為自己找到一個體面的藉口。

求婚的年輕人紛紛趕到伊利斯，向國王要求娶他的女兒為妻。國王很友好的逐個接待他們，給他們提供一輛漂亮的馬車，馬車很結實而且裝飾的很舒服，還有四匹馬在前面拉動，威武雄壯。當比賽開始時，求婚的年輕人先走，國王自己則去向宙斯獻祭公羊，而且一點也不匆忙和緊張。等到獻祭儀式完畢，他登上一輛輕便車，前面由兩匹駿馬菲拉和哈爾彼那拉動，它們奔跑的速度飛快，賽過強勁的北風。國王對他的兩匹駿馬很有信心，因為這兩匹馬從來沒有失利過。他很快就趕上了前面的求婚者，也殘忍的用長矛刺穿他的胸膛。就這樣十二名求婚者冤死在他的長矛下。

珀羅普斯也為求婚來到這座海濱半島，這座島後來就叫做珀羅普納索斯。不久他聽到有關求婚者在伊利斯慘死的消息。於是他趁著黑夜來到海邊，大聲的呼喚強大的守護神波塞冬，請求波塞冬的幫助，波塞冬應聲駕浪來到他的面前。

「偉大的神啊，」珀羅普斯祈求道，「如果你自己也喜歡愛情女神的禮品，那麼就請交給我，讓我不會受到俄諾瑪諾斯的長矛的傷害，請賜給我神車，讓我以最快的速度到達伊利斯，祈求你保佑我取得勝利。」

珀羅普斯的祈求立即生效，水中又響起一陣嘩嘩聲，波濤中推出了一輛金光閃閃的神車，前面有四匹帶翼的飛馬拉動，速度猶如飛箭。珀羅普斯飛身上車，一陣風似的向伊利斯駛去。

俄諾瑪諾斯看到了珀羅普斯來到時，大吃一驚，因為他一眼就認出了這是波塞冬的神車。可是他並不拒絕與小伙子按照原定的條件進行比賽。因為，他對自己駿馬的神力充滿信心。珀羅普斯經過長途奔馳十分疲勞，他和駿馬休息了幾天，等到精力恢復後，便策馬參加比賽。

跟以往一樣，當比賽快要接近終點時，依照慣例先給宙斯獻祭了公羊的國王追了上來，這時候，他的車伕突然不小心掉下了車，國王的車慢了下來，一下子就被珀羅普納的車落下好遠。但國王畢竟是老將，他自己駕著馬車，揮舞著長矛，一會兒就趕了上來，他揮舞著長矛，正要刺向前面的求婚者的後背，就在這千鈞一髮的時刻，珀羅普斯的保護神波塞冬急忙趕來救助。他弄鬆了國王的車輪，馬車摔得粉碎。俄諾瑪諾斯飛出馬車，即刻墜地而死。這時候，珀羅普斯駕著四匹飛馬順利的到達終點。他回頭一看，只見國王的宮殿裡烈火熊熊，原來是雷電擊中了宮殿，它燒得只剩下一根柱子露在外面。珀羅普斯駕著飛車奔到火光沖天的宮殿裡，勇敢的救出了她的未婚妻希波達彌亞。

後來，他統治了伊利斯全國，並奪取了奧林匹亞城，創辦了聞名於世的奧林匹克運動會。他和妻子希波達彌亞生了很多兒子。兒子長大後，分佈在珀羅普納索斯全境，各自建立了自己的王國。

# 35 驕橫的尼俄柏

尼俄柏的丈夫安菲翁是底比斯的國王。尼俄柏的父親坦塔羅斯，是神祇的上賓，但是後來因為褻瀆神祇被打入地獄。她自己統治著一個強大的王國，而且漂亮動人，姿態萬千，遐邇聞名，而且繆斯女神送給她一把漂亮的古琴，琴聲美妙，她彈奏的時候，能使磚石自動的粘合起來。因此她建造了底比斯的城牆。不過最使她感到高興、自豪的是，她有七個兒子和七個女兒，兒子們都非常的英俊健壯，女兒們則漂亮無比，而且孩子們都很愛她。她被視為最幸運的母親且因此而自鳴得意，她的驕橫日益顯現，正是她的驕橫和目中無人招來了殺身之禍。

有一天，底比斯城的婦女全都出來祭拜勒托和她的雙生子女阿波羅和阿提米斯。底比斯城的婦女一起擁了出來，她們在頭上戴一頂桂冠，並獻上祭品，尼俄柏也帶著她的女侍出來了。她穿著一件鏤金嵌銀的長袍，光彩照人，美麗無比。婦女們在露天獻祭，尼俄柏驕傲的站在她們中間，環顧四周，露出得意而驕傲的目光大聲說：「你們瘋了嗎？居然敬奉胡亂編造的神祇。天國的神難道真的來到了你們中間？你們給勒托獻上祭品，為什麼不向我頂禮膜拜？我的父親可是赫赫有名的坦塔羅斯，他是唯一可與神祇們一起用餐的凡人。我的母親狄俄涅，是普雷雅德的妹妹。他們都像天上閃閃發光的星座一樣。宙斯是我的祖父，他是眾神之祖，所有的夫利基阿人都聽從我的指揮。卡德摩斯的城池，包括所有的城牆都屬於我和我的丈夫，它們是由於我們彈奏古琴才粘合而成的。我的宮殿裡珍藏著無數的珍寶，我身材漂亮，如同一位女神。我生了一群兒女，世界上有誰能與我相比：七個如花似玉的女兒，七個體魄強壯的兒子，不久我將有七個女婿，七個媳婦。請問，難道我沒有足夠的理由驕傲嗎？你們不敬我，竟敢敬奉勒托，一位提坦神的不知名的女兒。她在陸地上找不到一塊生養孩子的地方，只有漂浮的德羅斯島憐憫她，才給她提供了臨時的住處。她一共生了兩個孩子，真可憐啊！她只不過是我的七分之一。我難道不可以比她高興七倍嗎？誰能不承認我應該更幸福？誰能不承認我應該永遠幸福？命運女神如果要毀滅我的一切，那她還得忙碌一陣，否則不是那麼方便的！所以你們應該撤掉祭品！趕快回家去！再也不要讓我看見你們做這類蠢事！」

婦女們驚恐的取下頭上的桂冠，撤掉祭品，悄悄的回家去，不過心裡都在默默的祈禱，試圖平息這個被得罪了的女神的怒火。

在德羅斯的庫恩托斯山頂上，勒托帶著一對雙生子女，把遠方底比斯發生的一切都看得清清楚楚。「你們看，孩子，」她說，「我作為你們的母親，因生下你們而感到自豪。除了赫拉以外，我不比任何女神低微，今天卻被一個傲慢的人間女子侮辱了一番。如果你們不支持我，我將被她趕出古老的聖壇。我的孩子，屆時連你們也會遭到尼俄柏的惡毒詛咒！」

阿波羅打斷了母親的話，他說：「別生氣，她早晚會遭到懲罰！」他的姐姐也隨聲附和。說完，他們就來到了卡德摩斯的城牆和城堡。城門外是一片寬闊的平地，尼俄柏的七個兒子正在那裡戲嬉。有的騎著烈性野馬，有的進行著激烈的比武競賽。大兒子伊斯墨諾斯正騎著快馬上，突然，一支飛箭射中他的心臟，他頓時從馬上跌落下去。他的兄弟西庇洛斯在一旁聽到空中飛箭的聲音，嚇得連忙伏鞍逃跑，可是仍被一支飛箭射中，當場斃命。另外兩位兄弟，一個以外祖父的名字命名的坦塔羅斯和弗提摩斯正抱在一起角力，被一支飛箭雙雙穿透射死。

第五個兒子阿爾菲諾看到四個哥哥倒地身亡，把哥哥們冰冷的肢體抱在懷裡，想讓他們重新活過來，不料胸口也遭到阿波羅致命的一箭。第六個兒子達瑪錫西通是個溫柔的、留著長髮的青年，他被射中膝蓋。正當他彎下腰去，準備用手拔出箭鏃的時候，第二箭從他口中穿過，也倒地而亡。第七個兒子還是個小男孩，名叫伊里俄紐斯，他看到這一切，急忙跪在地上，哀求著，哀求聲儘管打動了射手，可是射出的利箭再也收不回來了。男孩噗的一聲倒在地上死了，只是痛苦最輕。

不幸的消息很快傳遍了全城。孩子的父親安菲翁聽到噩耗，悲傷之至，拔劍自刎而死。尼俄柏久久不能理解她的不幸，她不相信天上的神祇竟有如此大的威力，可是不久她就徹底明白了。這時她跟從前的尼俄柏判若兩人。剛才還把眾多的婦女們從偉大的女神的祭壇前驅散，並且趾高氣揚的走過全城，不可一世的她，現在驚慌失措的撲在野地裡，抱住兒子的屍體痛哭。這時候她的七個女兒穿著喪服來到她的身旁。

尼俄柏看到漂亮的女兒們，蒼白的臉上突然閃出一種怨恨的光芒，她忘乎所以的看著天空，嘲笑著說：「勒托，即使我的兒子死了，我的漂亮的女兒還在，我還是比你富有，比你強大！」

話還沒有說完，空中就傳來一陣弓弦的聲音，每個人都十分恐懼，只有尼俄柏無動於衷。巨大的不幸已經使她麻木了。突然，一個女兒緊緊地捂著胸口，掙扎著拔出箭鏃，無力地癱倒在一個兄弟的屍體旁。接連又是五個女兒死了。只剩下最小的一個女兒，她驚恐的躲在母親的懷裡，鑽在母親的衣服下面。「給我留下最後一個吧，」尼俄柏悲痛的朝蒼天呼喊著，「她是兄弟姐妹中最小的一個！」

可是，即使她苦苦哀求，這最小的孩子終究還是從她的懷裡癱倒在地。尼俄柏孤零零的坐在她丈夫、七個兒子和七個女兒的屍體中間。尼俄柏變成了一塊冰冷的石頭，全身完全硬化，只是僵化的眼睛裡不斷地淌著眼淚。一陣旋風將她吹到空中，又吹過了大海，一直把她送到尼俄柏的故鄉，擱在呂狄亞的一座荒山上，下面是西庇洛斯懸崖。尼俄柏成了一座石像，靜靜的站在山峰上，直到現在還淌著悲傷的眼淚。

# 36 偷看女神的阿克特翁

阿克特翁是阿里斯塔俄斯和卡德摩斯的女兒奧托納沃的兒子，父母對他極其疼愛。其父親喜愛打獵，阿克特翁繼承了父親的優點，從小就有健壯的體魄，射箭和騎馬都很厲害。他年輕時跟半人半馬的肯陶洛斯人喀戎學習打獵的訣竅。

有一天，他跟一群快樂的夥伴在基太隆山區的森林裡圍獵。中午，毒熱的太陽火辣辣的照著，酷熱炙人，他們奔跑了一整個上午，都又渴又累，急於想尋找一塊樹蔭納涼。這時，阿克特翁對夥伴們說：「今天我們打了不少野味，圍獵就此結束，明天再打吧！」圍獵的人四下散開，他帶著幾條獵犬走進森林深處，想找一塊蔭涼處睡一覺。

附近有座加耳菲亞山谷，長滿了松樹和柏樹，樹木蔥翠，掩映著一個湖泊，這兒冬暖夏涼，氣候舒適，是呈獻給阿提米斯的一塊聖地。山谷深處的一角有一個樹木遮掩著的山洞。清泉匯成一池湖水，年輕的女神阿提米斯狩獵回來，常常在水裡洗澡消除疲勞。

正巧她剛剛打獵回來，正由一群女僕簇擁著走進山洞。她把獵槍、弓箭、箭袋交給後面的奴僕。在湖邊，一位女僕幫她脫下衣服，還有兩位女僕解下她腳上的鞋帶。聰慧而美麗的庫洛卡勒將阿提米斯鬆散的頭髮紮成一把，挽成一個髮髻，然後她們從清泉裡舀來涼水，沖洗她的身體。女神正在快樂的洗澡，一邊欣賞著這附近美好的風景，一邊享受著這兒涼爽的氣候，她雙目微閉，聆聽附近的蟲鳴鳥叫，聆聽大自然的音樂。

卡德摩斯的外孫阿克特翁來到樹叢深處。他也發現了這處美麗而且舒適的地方，他無意之中踏進了阿提米斯的聖林，找到一塊涼爽的休息地，非常高興，就躺在一棵大松樹下的草地上休息。他躺下來，四處看著，欣賞著這周圍美麗的風景。突然，他看見了正在沐浴的女神。他從來沒有見過如此美麗的畫面，他被這美麗的女神迷住了，呆呆的看著，忘了逃走。

女僕們突然看到一位不速之客突然闖了進來，不禁驚叫起來，一起過去圍住女主人，不讓他看到她的胴體。可是女神高高的站在那裡，羞得面色緋紅，一雙眼睛直愣愣的盯著闖進來的男子。他還呆呆的站在那裡，一動也不動非常吃驚，完全被眼前的美人迷住了。這時，女神生氣了，她突然俯下身子，退到一旁，一面用手在湖水裡舀起一抔水，噴在對面小伙子的頭上和臉上，一面威脅著說：「如果你有本事的話，就去告訴大家吧，告訴大家你看到了什麼！」

女神的話還沒有說完，小伙子驚醒了，他感到一陣害怕。他轉頭就跑，跑得飛快，連他自己都感到吃驚。

不幸的是他的頭上長出了一對犄角，脖子變得細長，耳朵變得又長又尖。他的雙臂變成了大腿，雙手變成了蹄子，身上長出了斑斑點點的毛皮，他只顧著奔跑，他不知道自己的身體發生了什麼樣的變化。他已經不是人了，憤怒的女神將他變成了一頭鹿。他到了湖邊，從水裡看到了自己的容貌。「天哪，我這不幸的可憐人，我如此倒霉被變成了一頭鹿，變成了別人的獵物！」他正想呼喊，可是嘴巴僵硬得像石頭一樣，發不出聲來。他痛哭流涕，眼淚順著臉頰淌下來，只有思想還沒有喪失，他完全不能跟他的夥伴們和父母交流了。

他該怎麼辦呢？是回到外祖父的宮殿裡去，還是藏在密林裡？正當他又羞又怕的時候，他的一群獵狗圍攏過來，一齊衝向雄鹿，追得他漫山遍野的逃竄。他一會兒逃上懸崖，一會兒逃進峽谷，驚恐萬分的在他從前圍追獵物的林場上逃命，自己成了圍獵的對象。最後，一條兇惡的獵犬吼叫著撲上來，一口咬在他的背上。別的獵狗一擁而上，鋒利的牙齒將他咬得遍體鱗傷。

正在這時，他的一群狩獵的朋友也聞聲而至，放出惡狗，拚命撕咬著這頭壯鹿。獵友們高聲歡呼著，尋找他們的朋友。「阿克特翁！」深山密林裡響起呼喚聲，「你在哪裡？瞧，我們獵到了一頭壯鹿！」

可憐的鹿被穿在他朋友的獵槍上，在他朋友的呼喊聲中漸漸的斷了氣。

# 37 戴勝鳥、夜鶯和燕子的故事

普洛克涅和菲羅墨拉是潘迪翁和漂亮的女水神策雨茜潑的女兒，潘狄翁是雅典的國王，他是從泥土中生出的厄里克托尼俄斯和帕茜特阿女神所生的兒子，他們還有兩個兒子：厄瑞克透斯和波特斯。這兒講的是普洛克涅和菲羅墨拉的故事。

有一年，底比斯的國王拉布達科斯與潘狄翁發生了爭鬥，率領軍隊侵入阿提喀。雅典人經過激烈的抵抗，最後還是打不過底比斯的軍隊，都退縮在城內。潘狄翁匆忙的向英勇善戰的色雷斯國王忒瑞俄斯求援。忒瑞俄斯是戰神阿瑞斯的兒子。他迅速率領軍隊前來解圍，最後把底比斯人趕出了阿提喀。潘狄翁為了感謝他，把女

兒普洛克涅遠嫁給了這位聲譽赫赫的英雄。不久後他們有了兒子伊迪斯。

不知不覺過去了五年，普洛克涅遠離家鄉，感到異常孤寂，心中頓生對妹妹菲羅墨拉的思念之情。她對丈夫說：「如果你愛我的話，就請讓我回雅典去，把我妹妹接來，或者你去那裡，將她接來。你對父親說，她在這裡逗留一段時間就會回去的。不然父親會擔心，不願放女兒離開很長時間。」

忒瑞俄斯同意了，帶著僕人，來到雅典，受到岳父的熱情接待。忒瑞俄斯轉告了妻子的願望，並向國王保證，菲羅墨拉不會待多長時間。到了宮殿後，菲羅墨拉親自前來問候姐夫忒瑞俄斯，不斷的向他詢問姐姐的情況。忒瑞俄斯見她光彩照人，美豔非凡，愛慕之情像烈火一樣熾熱，暗暗打定主意要把菲羅墨拉騙到手。他一本正經的說起普洛克涅對妹妹的思念之情，心中卻在醞釀著邪惡的計劃。菲羅墨拉也被他迷住了。她用雙手鉤住父親的脖子，懇求他同意她到遠方看望姐姐。國王依依不捨的答應了女兒的請求，女兒說不出有多高興，連忙感謝父親。

第二天清晨，年邁的潘狄翁含著熱淚與女兒分別，送她去看望她的姐姐。不久他們就到了色雷斯。忒瑞俄斯悄悄的把菲羅墨拉帶進密林深處，把她鎖在一間牧人的小屋裡。菲羅墨拉又驚又怕，流著淚打聽姐姐的情況。忒瑞俄斯謊稱普洛克涅已經死了，為了不讓潘狄翁哀傷，他故意編造了邀請菲羅墨拉的故事。實際上他是為了娶菲羅墨拉為妻，才趕往雅典的。他一邊說，一邊假惺惺的哭了起來，裝作一副傷心的樣子。無論菲羅墨拉如何苦苦哀求，都無濟於事，她只得流著痛苦的眼淚不情願的成了忒瑞俄斯的妻子。可是，沒過多久她就發現了不對勁的地方，既然她已經是他的妻子了，為什麼他不讓她搬到宮殿裡去住呢？

有一次，她無意中聽到僕人們的議論。知道普洛克涅還活著，她頓時明白她跟忒瑞俄斯的婚姻是一場罪惡，她成了姐姐的情敵。一股怒火油然而生，她仇視姐夫對姐姐的背叛，飛快的衝進他的房間，大聲的詛咒他，發誓要把他卑鄙的行徑和罪惡的伎倆公佈於眾，讓人人都知道他是一個無恥的人。忒瑞俄斯感到十分害怕。為了保險起見，他決定不讓任何人知道他的醜行，可是他又不敢殺害一個無辜的女子，他想出了一個惡毒的辦法。他把菲羅墨拉的雙手反綁起來，然後抽出利劍，正當她痛苦的呼喊父親名字的時候，忒瑞俄斯卻一劍割掉了她的舌頭。他像什麼事也沒有發生似的離開了她，嚴厲地命令僕人對她嚴加看管，不准有任何懈怠。

忒瑞俄斯回到宮殿，普洛克涅問他，怎麼沒有與妹妹一起回來。這時他假惺惺的含著眼淚說，菲羅墨拉已經死了，並已埋葬了。普洛克涅聽了悲痛欲絕，她脫下金銀彩服，換上一件黑紗長服，又為妹妹建了一座空墓，擺上供品奠祭妹妹的亡靈。

一年過去了。被殘暴的忒瑞俄斯弄啞的菲羅墨拉頑強的活了下來，她失去了一切自由，她口不能言，無法向世人揭露忒瑞俄斯的卑鄙和可恥的行徑。

可是，不幸使她變得更加聰明，她坐在織布機旁，在雪白的麻紗布上織出了紫銅色的字樣，然後做著手勢哀求僕人將麻布送給王后普洛克涅。僕人不知道其中的奧妙便答應了。普洛克涅攤開麻布，發現了上面的字樣，她知道了丈夫所做的駭人聽聞的暴行。她欲哭無淚，甚至發不出一聲歎息，因為她的痛苦太深了，她腦子裡只有一個念頭：報仇！向暴徒報仇！

這天是巴克科斯酒神節，色雷斯的婦女們熱情的慶祝。王后也戴上葡萄花環，手執酒神杖，匆忙跟著一群婦女來到叢林。她躲過看守，悄悄的走近孤零零的牧人小屋，裡面關著她的妹妹菲羅墨拉。她抑制不住激動的心情，撲向妹妹，急忙拉著她逃了出來，來到忒瑞俄斯的宮殿。這時，她的兒子伊迪斯過來，跑到母親懷裡，親吻母親。母親的心只是稍微感動了一陣，然後，她一把推開孩子，拿出一把尖刀，懷著瘋狂的復仇願望，用刀刺進親生兒子的心口。

國王忒瑞俄斯坐在祖先的祭壇前，他的妻子送上可口的菜餚，他吃完後，問道：「我的兒子伊迪斯在哪裡？」「遠在天邊，近在眼前，他離你近得不能再近了！」普洛克涅冷笑著說。忒瑞俄斯不解地朝四周張望，這時菲羅墨拉走了進來，她把一顆血淋淋的孩子腦袋扔在他的腳下。他頓時明白了一切，馬上掀翻了餐桌，拔出劍來撲向拚命逃跑的兩姐妹。她們跑得像飛似的。她們長出了翅膀，一個飛進了樹林，另一個飛到屋頂上。普洛克涅變成了一隻燕子，菲羅墨拉變成了一隻夜鶯，胸前還沾著幾滴血跡，這是殺人留下來的印痕。卑鄙的忒瑞俄斯也變了，變成了戴勝鳥，高聳著羽毛，撅著尖尖的嘴，永遠的追趕著夜鶯和燕子，成為它們的天敵。

# 38 仄忒斯與安菲翁

底比斯國王波呂多洛斯病危彌留之際，把他尚未成年的兒子拉布達科斯托交給他的岳父尼克透斯撫養，尼克透斯活了很長的時間，拉布達科斯在尼克透斯的撫養下長大成人。可是他只執政一年就死了。尼克透斯又繼續撫養拉布達科斯的小兒子拉伊俄斯。尼克透斯有一個漂亮的女子，名叫安提俄珀。眾神之父宙斯對她十分喜愛。可是另一位垂青她美貌的青年埃波卜俄斯，也悄悄的來到底比斯誘騙了她。他在西基翁佔有了安提俄珀，要她作了妻子。

安提俄珀的父親知道後十分生氣，率領部隊進入埃波卜俄斯的國家。雙方發生了激烈的戰鬥，結果兩敗俱傷。埃波卜俄斯勉強贏得了勝利，而尼克透斯卻身受重傷，奄奄一息。國王在臨死前宣布他的兄弟呂科斯為王位繼承人，一直到拉伊俄斯長大成人再把王位交給他。國王還再三叮囑兄弟：千萬別忘記向埃波卜俄斯報仇雪恨，一定要把安提俄珀重新接回底比斯。

呂科斯對著垂亡的兄長發誓：一定會完成他的遺願。後來，他積極訓練部隊，準備對埃波卜俄斯發動戰爭。可是埃波卜俄斯也在那次戰爭中因為傷勢過重而死了。他的王位繼承人洛墨冬心甘情願的把安提俄珀送交了出來。

呂科斯接她回底比斯，安提俄珀在埃洛宇特拉生下兩個兒子，兩個兒子生下以後就被遺棄在山裡。一位善良的牧牛人收留了孩子，將他們拉拔長大並給他們取了名字，叫安菲翁和仄忒斯。不過誰也不知道，安菲翁和仄忒斯竟然是神之祖宙斯的兒子，再說兩個孩子雖說相互間感情深厚，可是在性格上卻有很大的差異。仄忒斯逐漸成長為一個頭腦冷靜卻又十分健壯的牧人，安菲翁卻喜歡唱歌和彈琴，他從赫爾墨斯那裡得到一件古琴，安菲翁的藝術造詣很高，連阿波羅也常常悄悄的聽他彈奏，演唱。

正當兄弟兩人在牧牛人的撫養下長大的時候，他們的母親安提俄珀卻忍受著感情的煎熬。呂科斯是個善良溫和的男人，可是他妻子狄耳刻卻是一個惡毒的女人。她十分妒忌安提俄珀的美貌，以為丈夫一定愛上了自己的侄女，於是常常折磨安提俄珀。一次，她把一塊燒紅的鐵塊擱在侄女的頭髮上，還有一次她將侄女打得鼻青臉腫。安提俄珀受盡了種種折磨。她像女奴一般勞動還得不到一餐飽飯。白天，她被關在陰暗的地下室裡，晚上只能睡在光禿禿的木板上。

一天夜晚，宙斯讓她手上的鐐銬自行脫落，關閉她的監獄大門也呀的一聲自行打開了。可憐的安提俄珀飛一般的逃到基太隆的山頭上。不料她迷了路，她看著周圍又黑又怕，不知道該往何處去。

慌亂之中，她看到眼前有一間牧人住的小草棚，安提俄珀走上前去，請求暫住一宿。她看到從房間裡走出兩位年輕人，安菲翁想收留這位可憐的女人，因為他對這個女人懷有一股難以名狀的親切的感情，倔強的仄忒斯開始想拒絕她，可是後來他也同意讓這個可憐的女人借住一夜。狄耳刻發現囚禁的女子逃走了，她順著蹤跡追了過來，找到兩位年輕人，讓他們相信安提俄珀是一位卑鄙的罪惡女人。由於經受不住王后的利誘和威脅，兄弟倆順從的牽來一頭烈性公牛，準備把他們的生身母親綁在牛身後，讓牛把她拖曳而死。

正在危難緊急關頭，年老的牧人匆匆忙忙的趕了過來，牧人大聲呼喊：「安提俄珀是仄忒斯和安菲翁的母親。」聽完敘述，兄弟兩人把滿腔怒火一股腦兒的發洩到狄耳刻身上。狄耳刻被緊緊的綁在烈牛背後，讓牛在山地上拖曳著受盡折磨而死。

酒神狄俄倪索斯將狄耳刻的屍體變成一池泉源，它就在底比斯城附近。泉源按照惡毒的王后命名，一直湧流很久，沒有乾涸。

安菲翁和仄忒斯帶著他們重新尋得的母親一起回到底比斯，將軟弱的呂科斯趕下台，自己親自上台執政，還圍著城池砌造了牢固的城牆。

仄忒斯從山上搬來巨大的石塊，用於建造城牆。安菲翁彈起他的古琴，巨大的石塊伴隨著古琴聲響的韻律自動疊合在一起，形成一堵密不透風的城牆，有名的底比斯城牆就是這樣建成的。安菲翁發明了七弦古琴，為表彰他的聰明才智，城牆上一共建造了七座城門。

# 39 互相猜忌的珀洛克利斯和凱珀哈洛斯

珀洛克利斯是厄瑞克透斯的一個女兒，姐妹之中她長得最漂亮。她愛上了赫爾墨斯和凱克洛珀的女兒赫爾塞所生的兒子凱珀哈洛斯。結婚的時候，所有的雅典人全都趕來賀喜，非常熱鬧，可是這一對夫婦卻沒能白頭偕老，幸福沒有在他們之間永存。

他們結婚後的一天早晨，凱珀哈洛斯在打獵時，為了追趕一頭鹿進了叢山密林，他遇到一位年輕的女子厄俄斯，也就是曙光女神。曙光女神見他長得英俊瀟灑，十分傾心，便把他劫持到自己的宮殿。可是不管厄俄斯如何誘惑他，凱珀哈洛斯還是始終想念著自己心愛的妻子。他百般地懇求女神，讓他回到珀洛克利斯身邊去。

厄俄斯儘管十分傷心，卻十分感動。她說：「好吧，你可以重新回到珀洛克利斯那裡去，可是你終會有一天殷切的希望再也不要看到她。」

凱珀哈洛斯在回去的途中始終想著女神的話，心裡漸漸的產生一股恐懼和懷疑，珀洛克利斯真會對他保持忠誠嗎？最後他決定變成另一副模樣去考驗一下妻子。

厄俄斯已經改變了他的形象，他一路匆忙來到雅典，回到自己家中，大家見來了一個陌生人，沒有在意，又紛紛議論女主人的貞潔，講到她對失蹤了的丈夫的擔憂。他想盡辦法的走進了妻子的房間，可是不管他如何誘騙，妻子卻始終不為這個陌生人所動。這時候他幾乎不能再繼續裝下去了，如果他猛的撲上前去，抱住妻子，吻著妻子，那該是多麼歡樂的久別重逢。不幸的是他卻堅持著還要試探，他對珀洛克利斯許以重金禮品，而且詭稱凱珀哈洛斯已經不在人世，珀洛克利斯經不起利誘交迫，竟然猶豫著動搖了，這時候凱珀哈洛斯忍不住蠻橫的罵了起來：「不忠誠的女人，你這回可是露出了狐狸尾巴，我就是你準備背叛的丈夫！」妻子羞愧難當，她一聲不響含著屈辱和悲傷離開了丈夫的家。

珀洛克利斯來到遙遠的克里特島，她加入了喜歡狩獵的貞潔女神阿提米斯的隊列，從此仇恨一切男人。凱珀哈洛斯卻十分後悔，非常懷念可愛的妻子，當然妻子也難以將往日感情一筆勾銷。阿提米斯瞭解後，便送她一根絕不會偏離目標的梭鏢和一條奔跑如飛的名犬雷拉潑斯，珀洛克利斯帶著寶貝，高高興興的回到雅典。她原諒了後悔莫及的丈夫，重新跟他一起生活了很多年。夫妻倆和睦美滿，因為再也用不上梭鏢和雷拉潑斯，於是她就把這兩件寶貝作為第二次結婚後的晨禮送給了丈夫。

凱珀哈洛斯喜歡趁著清晨獨自外出到山上打獵，不帶僕人，不騎馬，也不帶獵狗，等到心滿意足的打上許多獵物時，他就尋找一塊樹蔭處，呼喚晨風前來吹拂自己，好讓自己消除疲勞，解除困乏。為此，他對著天空自言自語：「來吧！可愛的曙光，來吧！你是個友好的女子，給我力量，給我涼爽。」

一天，有人從旁走過，聽到他含情脈脈的呼喊，那人以為凱珀哈洛斯正在呼喚當地的女仙，在密林中私自幽會。他急忙趕回去，找到珀洛克利斯，把這一情況原原本本的告訴她。珀洛克利斯十分悲傷，憤恨丈夫欺騙了自己。可是後來她又想到不能輕易的相信，以免冤枉了自己的丈夫。她疑慮重重，又恨又怨，打定主意，親自去探聽一回，查個水落石出。

第二天一大早，凱珀哈洛斯一如往常又上山打獵去了。狩獵完畢，他高興的躺在草地上休息，愉快地唱起來，「來吧！溫柔的曙光，快來按摩疲勞的我吧！」他正唱得高興，突然停止了歌唱，附近的樹叢裡發出一陣窸窸窣窣的聲音。他以為那是一頭鹿，於是立即拿起梭鏢，那支百發百中的神鏢，猛的扔了出去，正好打中他的妻子。可憐的妻子大叫一聲，連忙用手摀住傷口。凱珀哈洛斯還沒完全聽清妻子的聲音便急忙撲了過來，他看到妻子珀洛克利斯已經躺在血泊之中，連忙撕下自己的衣服，綁紮妻子的傷口。妻子卻已奄奄一息，她只是費力的說：「對著神聖的婚姻，我詛咒你，是你破壞了我們的幸福。可是，你要發誓，我死了以後，你千萬別讓曙光進入我們共同生活過的安靜的房間。」

凱珀哈洛斯直到這時才明白原來是一場誤會。他抽泣著解釋這一切，說話時早已淚流滿面。他發誓，自己是無辜而忠誠的。可惜已經晚了，妻子又一次回過神來，溫柔的看著丈夫，蒼白的嘴角邊上泛起一陣痛苦的微笑，臉色十分平靜，就這樣，她躺在丈夫的懷裡，停止了最後的呼吸。

# 40 墨勒阿革洛斯狩獵野豬

卡呂冬的國王俄紐斯每年都虔誠的以豐收季節的新鮮果物獻祭神祇：穀物獻給狄蜜特，葡萄獻給巴克科斯，油料獻給雅典娜，每位神祇都有相應的祭品。可是他卻忘了給狩獵女神阿提米斯獻祭。女神十分生氣，她決定對俄紐斯進行報復。

女神朝卡呂冬的原野上放出一頭巨大的野豬。牠血紅的眼睛裡噴射出熊熊的火焰，牠寬闊的背上豎著堅硬的鬃毛，粗大銳利的獠牙如同象牙一般。這頭野豬肆意的踐踏莊稼，連枝帶葉的把葡萄和橄欖吞吃掉，還吞吃牛羊和人，牧人和牧羊狗都不敢碰他。

國王的兒子墨勒阿革洛斯挺身而出，召集一批獵人和獵犬來捕殺這頭兇惡的野豬。他邀請全希臘最勇敢的人前來圍獵，其中有亞加狄亞的女英雄阿塔蘭忒，她是伊阿索斯的女兒，她是由母熊養大的，從小以狩獵為生，後來由一個獵人救出，撫養長大，出落成一位漂亮的女子，但對男人卻十分厭惡。因為她喜歡狩獵，所以現在只好不避男女之嫌了。她把頭髮挽成髮髻，肩上掛著象牙色的箭袋，右手執弓，臉色紅潤，墨勒阿革洛斯看到她人品出眾，心裡想：「能夠娶她為妻的男人該是多麼幸福啊！」

獵人們來到一座沿山坡逶迤而上的古老的森林裡，他們佈下羅網設下陷阱，放開獵犬，尋覓野豬的蹤跡。他們追著野豬來到一座峻峭的山谷，山谷裡長滿了濃密的蘆葦和水楊，獵犬的狂吠聲，驚起野豬竄了出來，衝斷了數不清的樹木。

獵人們齊聲呼喊，緊緊抓住長矛，朝牠投擲矛槍和飛鏢，可是這一切只能擦破牠的硬皮，使牠更加激怒，野性大發。牠瞪著冒火的眼睛重新轉過頭來，撲向獵人，頓時衝倒了三個獵人，他們當場被踩死。阿塔蘭忒趕到，她彎弓搭箭，朝著野豬射去一箭，射中了牠的耳根。豬鬃上第一次染上了血跡。男人們見一個女人竟搶在他們前面立了功，感到很羞愧，他們立刻跳起身子，把長矛和飛鏢朝野豬擲去。可是這一陣雨點似的鏢矛竟沒有一支擊中野豬。野豬獸性大發，在原地暴躁的打轉，口中噴吐著鮮血和白沫。墨勒阿革洛斯趕上去，舉起長矛，刺進野豬的脖子。獵人們紛紛舉矛刺殺，野豬身上被戳成蜂窩似的，牠掙扎了一下，倒在血泊之中。

墨勒阿革洛斯一隻腳踩著牠的頭，用劍連毛帶肉的剝下了豬皮。他把豬皮連同豬頭一起送給勇敢的阿塔蘭忒，對她說：「收下戰利品吧！按理說牠應該歸我，可是更大的一份榮譽應該歸於你！」獵人們卻憤憤不平，認為她不該享受這份榮譽。墨勒阿革洛斯的幾個舅舅更是不服，他們站到阿塔蘭忒的面前，揮舞著拳頭，說：「放下手中的戰利品，你別想得到這份獵物，牠是屬於我們的！」說著他們一把搶過獵物揚長而去。墨勒阿革洛斯受不了這樣的侮辱，咆哮道：「你們這些強盜！」他挺起長矛殺死了他的兩個舅舅。

墨勒阿革洛斯的母親阿爾泰亞，聽說兒子圍獵得勝非常高興。她立即前往神廟給神祇獻祭表示感謝。她看到抬來的卻是兩個兄弟的屍體。阿爾泰亞匆忙趕回宮殿，穿上喪服。當她聽說兇手是自己的兒子墨勒阿革洛斯時，她才強忍著淚水，將悲哀變成了仇恨，思量著要替兄弟們報仇。

她想起墨勒阿革洛斯生下沒幾天，命運三女神曾來到她的床前。「你的兒子將成為一個勇敢的英雄，」第一位女神預言說。「你的兒子壽命像……」第二位女神還沒有說完，第三位女神就接過了話頭：「像爐子上的木柴一樣，直到被火燒完。」三位命運女神剛剛離開，阿爾泰亞連忙把木柴從火中取出來，用水澆滅，然後藏在密室裡。現在她在復仇的憤怒中，又想起這木柴，於是立即走進密室，她吩咐僕人架起木柴生好爐子，火焰熊熊燃起。

阿爾泰亞的內心裡母子之愛和手足之情在激烈地衝突著。她四次伸手，要將木柴扔進火中，卻又四次把手縮了回來。終於，兄弟的情誼戰勝了母愛。她閉上眼睛，用一隻顫抖的手將木柴投進熊熊的烈火中。

墨勒阿革洛斯這時正在回城的途中。突然他感到內心有如火燒般的灼痛。剛到宮殿，他痛得難以忍受，一頭倒在床上。墨勒阿革洛斯在痛苦中呼叫他的兄弟，他的妹妹，他的年邁的父親和母親，而他的母親還呆呆的站在火堆旁，一雙遲鈍的眼睛看著烈火在焚燒木片。兒子的痛苦隨著木片的燃燒而劇烈。最後，當木柴燒成灰燼時，他的痛苦消失了，他的生命也結束了。父親、姐妹和全卡呂冬的人都為失掉了這位英雄而悲哀。只有母親不在那裡，她已經死在火堆旁了。

# 41 阿塔蘭忒

阿塔蘭忒是一位以狩獵聞名於世的女英雄，她在卡呂冬圍獵野豬時建立了豐功偉績。不過她的身世卻很悲慘，她的父親望兒心切，見生了個女兒，便把她遺棄山林，山中有一母熊，因為熊崽被獵人捕殺，正急得到處亂走時發現了被父親遺棄的阿塔蘭忒，便把她叼回洞中，用熊奶給她哺乳。直到有一天，幾個獵人經過看到了熊孩，就把她帶回去，撫養成人。因此。阿塔蘭忒從小就是在亞加狄亞的陰涼山林裡長大的，她健步如飛，太陽和山風讓她的臉色變得一片黝黑，可是她卻出落得猶如一位美麗的林中仙女，又像狩獵女神阿提米斯，在寂靜的山林裡，阿塔蘭忒生活得純潔而快樂，不願出嫁為妻，卻喜歡徒步打獵。但她的美

貌卻使她成為眾人追捧的對象。

有一天，兩個半人半馬的妖怪——律科斯和許勒奧斯看到了漂亮的女獵手，他們決定劫持她，逼她成親。阿塔蘭忒識破了他們的詭計，當他們靠近她的時候，阿塔蘭忒「嗖嗖」射出兩箭，兩個妖怪應聲倒地。她的英勇常常使得許多男子羞愧。她曾在珀利阿斯的兒子為紀念亡父而舉辦演武比賽上，打敗了艾亞哥斯的兒子珀琉斯。

阿塔蘭忒長大以後，重新找到了自己的父母親，她的父親伊阿索斯曾懇求女兒，一定要嫁給一個勤勞的丈夫，阿塔蘭忒卻不願意聽這種話，因為她記得從前占卜時曾經得到一則預言：逃避丈夫吧，阿塔蘭忒，可是你卻逃脫不掉丈夫。她一直搞不清這是什麼意思。為了擺脫那些累贅而又咄咄逼人的求婚人的困擾，她在一塊草地邊上埋下一根三尺木樁，她宣佈木樁成為比賽奔跑的起點，只有勝過她的人才能成為她的丈夫，可是比她後到目的地的人卻會被處死。條件雖然苛刻，但年輕美貌的阿塔蘭忒魅力卻更吸引人，因此前來求婚的人絡繹不絕，幾乎踏翻了門檻。

有一回比賽的時候，英俊的小伙子希波墨涅斯也坐在觀眾席上，他大聲的嘲笑那些求婚人的愚蠢，可是等到阿塔蘭忒來到他面前時，他也被她的美貌征服了，驚訝得連一句話也說不出來。

比賽開始了，勇敢的阿塔蘭忒讓那些前來求婚的人先跑一程，她滿懷信心，像飛箭一般趕了上去，激烈的奔跑更顯現出了阿塔蘭忒的青春魅力，她已經高高興興的到達終點，回過頭來看著一群求婚人氣喘吁吁的正在奔跑。這時候，只聽見希波墨涅斯來到木樁旁邊大聲的喊叫起來：「你為什麼專門跟體弱無力的人進行比賽？你敢跟我比嗎？如果命運眷顧我，讓我取得勝利，那麼你至少不會感到委曲，我叫希波墨涅斯，麥伽洛宇斯的兒子，海神波塞冬的曾孫，要是我輸掉了，那麼你的榮譽將會更大，因為你終於戰勝了希波墨涅斯。」阿塔蘭忒看了他一眼，希波墨涅斯是個漂亮的少年，她喜歡上了希波墨涅斯。「你最好放棄跟我比賽」，她說，「你還年輕，出身尊貴，任何一個女子都會願意嫁給你，讓你當她們的如意郎君，可是，你如果和我比賽奔跑，我是不會輸給你的，那種結局多麼可怕啊！」

她緊緊的盯著風流倜儻的小伙子，還沒有意識到，自己的心裡早就燃起了一股激烈的愛情，希波墨涅斯悄悄的向著愛情女神祈禱：「神聖的阿芙羅黛蒂，請仁慈的佑護我吧！」女神聽到他的禱告，飛速地前往塞浦路斯，在一棵神奇的樹上摘下三顆金蘋果，然後她又不動聲色的來到希波墨涅斯身旁，把神奇的蘋果交給他。

又一輪比賽開始了，希波墨涅斯一馬當先，跑在前面，周圍響起一陣陣熱烈的掌聲。希波墨涅斯拼盡全力，雙腿猶如生了風一般，可是離終點還有不少路程，阿塔蘭忒已經緊緊的追趕上來，他急忙從口袋裡掏出一顆阿芙羅黛蒂送的金蘋果，扔在地上，阿塔蘭忒吃了一驚，急忙站住，彎下身子，從地上把金蘋果撿了起來。這時候年輕的小伙子已經往前奔跑了很遠的路程。當阿塔蘭忒重新趕上他的時候，他又把第二顆蘋果扔在跑道上。阿塔蘭忒又抵抗不住誘惑。「慈悲的女神，請保佑我取得勝利吧」，希波墨涅斯大聲地禱告著，又扔出了第三顆金蘋果。阿塔蘭忒猶豫了一會兒，還是彎下腰去撿了起來。希波墨涅斯順利的到達終點。周圍響起一片歡呼聲，祝賀他取得了勝利。

比賽輸掉的阿塔蘭忒絲毫沒有不樂意，這真是一對世間少有的恩愛夫妻，甜甜蜜蜜，如膠似漆。他們生了一個兒子，兒子名叫帕耳忒諾派俄斯，風流倜儻，溫文爾雅，後來壯烈的死在攻打底比斯的城前。

# 42 狡猾的西緒福斯的故事

埃俄羅斯的兒子西緒福斯是所有的人類中最奸詐的人。他在兩個國家之間的狹窄地帶，建立並統治著美麗的城邦科任托斯。他常常藉故侵佔另外兩個國家的勞動成果。

有一天，他正站在山頂上想著如何把鄰國的美麗的森林據為己有的時候，看見一直蒼鷹叼著一個美麗的女子從他頭頂飛過。他認出那隻蒼鷹是眾神之王宙斯的化身，而他嘴裡的那個女子就是河神阿索波斯的最漂亮的女兒埃癸娜。聰明的他立刻想到是發生了什麼。一定是宙斯背著河神偷走了埃癸娜。他於是對宙斯說道；「親愛的眾神之王，我不想看到什麼，如果你願意幫我把河對面的森林弄到我所在的山頂的話。」但宙斯沒有搭理他，因為宙斯不喜歡他。因此，西緒福斯懷恨在心。當河神阿索波斯找來時，他對河神說：「親愛的河神呀，你是不是正在找你的漂亮的女兒呢？如果你答應幫我把河對岸的森林搬到我所在的山頂的話，我就告訴你我知道的一切。」河神救女心切，毫不猶豫的答應了他。河神大袖一揮，河對岸的山變得光禿禿了，而西緒福斯所在的山頂則是綠蔥蔥的一片。於是，他便把他看到的一切告訴了河神。因此，河神和宙斯大戰一場。

從此，宙斯發誓一定要用最勞累無功的工作來懲罰西緒福斯。由於他背叛了宙斯，死後被打入了地獄受懲罰。

宙斯決定懲罰這個洩密者，便派死神塔那托斯到他那裡去。但西緒福斯早有防備，他巧妙的抓住死神，給他帶上了沉重的鐐銬，結果人間就沒有人死亡了。冥王一直不見死神回來，就派戰神阿瑞斯去查看。戰神阿瑞斯打破了西緒福斯的詭計，解放了死神，死神才把西緒福斯帶到冥府去。

西緒福斯被死神帶走前，叮囑妻子說：「親愛的，我死後千萬不要給我舉行祭奠，否則妳就再也看不到我了，而且，妳也將大禍臨頭。」妻子聽從了他的叮囑。西緒福斯死後，冥王哈德斯和冥后珀爾塞福涅一直不見他的祭奠，以為是他妻子破壞習俗，大為憤怒。

西緒福斯便說：「尊敬的冥府的神呀，請讓我回去查看一下，順便督促我的妻子完成我的祭奠儀式。」冥王聽信了他的花言巧語，准許他回到人間去督促他那遲遲不舉行祭奠的妻子。

西緒福斯就這樣從冥府溜掉了，他壓根兒就沒想到要回冥府。在人間，他一味的尋歡作樂。但當他正坐在豐盛的宴席上大吹大擂他怎樣成功的欺騙了冥王時，塔那托斯突然出現毫不留情的把他抓到了冥府。

在地獄，他受到的懲罰是手腳並用，做十足的力氣活。每天清晨，他都必須將一塊沉重的巨石從平地搬到山頂上去。每當他自以為已經搬到山頂時，石頭就突然順著山坡滾下去。這樣作惡的西緒福斯必須重新回頭搬動石頭，艱難地挪步爬上山去。

直到今天，人們還根據這個傳說把艱難而無效的工作叫做西緒福斯的工作。

# 43 艾亞哥斯

河神阿索波斯一共生有二十個女兒，二十個女兒個個如花似玉，其中最漂亮的要數埃癸娜。有一次，宙斯看到了這位女仙，他愛上了這位女仙。於是搖身一變，變作一頭蒼鷹，從雲空中直撲下來，劫持著埃癸娜一直飛到當時被稱作安諾納的島嶼才停下來。後來，這座島也被稱作埃癸娜。

阿索波斯到處尋找他的女兒。一天，他來到哥林多城，陰險的西緒福斯向他透露，是宙斯劫持了他的女兒。阿索波斯跟宙斯免不了一場激烈的交鋒，宙斯用閃電迫使追趕者退回到自己原來的河床。宙斯和埃癸娜生下兒子艾亞哥斯。

艾亞哥斯聰明伶俐，虔誠正直，深得眾神的歡心。

長大以後，艾亞哥斯治理島嶼，是一位開明善良的國王，受到大家的擁護和愛戴。

這一年希臘遭受大旱，土地龜裂，張開乾巴巴的大口渴望雨水，莊稼和果實全都枯萎乾癟，河流湖泊也都乾得露出了河床，可是空中卻是萬里無雲，一直不下雨，人畜乾竭而死，屍橫遍野，人間一副悲慘的景象，讓人目不忍睹。

希臘人深受災難之苦，特爾斐女祭司宣佈說，如果艾亞哥斯向宙斯求情，乾旱會立即停止，因為艾亞哥斯是傑出的凡人，他的行為能夠感動天地。希臘的各位君王連忙派出使者前往埃癸娜，請國王代他們向宙斯求情。艾亞哥斯毫不猶豫的答應了。

艾亞哥斯登上島嶼的最高山頭，舉起雙手，向他父親請求幫助。他的祈禱剛剛結束，天空突然濃雲密佈。頓時間瓢潑大雨，澆遍全希臘，解除了這一年的乾旱之苦。

於是，宙斯的兒子既是強大的國王又是虔誠的祭司，無論百姓或是神，都對他十分喜歡和尊敬。他娶了妻子恩達埃斯。妻子給他生下兩個強壯的兒子——珀琉斯和忒拉蒙。他還有第三個兒子，名叫福科斯，是海中仙女涅瑞伊德斯姐妹彼薩瑪特所生。在世人的眼裡，艾亞哥斯不僅是最善良的，也是最幸福的人。

但是，他的幸福引起了天后赫拉的嫉妒。赫拉給這座小島送去了致命的瘟疫，才短短幾個月的時間，島上的動物和居民全都被毒死了。

仁慈而又高尚的國王雖然跟他的兒子們倖免於難，可是他目睹這一切卻悲傷無比，連心都在淌血。他的臣民們忍受著死亡的折磨，他向天神苦苦的哀求著：「宙斯，尊敬的父親，我如果真是你的兒子，或者你並不因為我而感到慚愧，那就請你歸還我應有的一切，或者乾脆讓我死掉！」

天上突然出現一道閃電，安靜的天空中傳來了隆隆的雷聲。艾亞哥斯愉快的看到恩賜的先兆，他感謝父親給他的恩惠和希望。艾亞哥斯站在一棵巨大的櫟樹旁，這是獻給宙斯的祭品。

宙斯的多度那聖櫟樹就是它的種子長出來的。突然，國王的目光落在這棵巨樹的樹幹上。那裡有無數的螞蟻，在樹皮和樹根上匆匆忙忙的爬來爬去，拖曳著一顆顆粗壯的穀粒。「賜給我這麼多的臣民吧」，艾亞哥斯大聲呼喊著：「讓他們充滿空曠的城池，就像這裡有許多螞蟻一樣。」

這時候，樹冠突然動搖起來，樹葉沙沙的響，猶如彈奏一曲優美的旋律。國王聽著，跪倒在樹旁，吻著大地和神聖的樹幹，答應給宙斯祭獻豐富的禮品。直到夜幕降臨的時候，他才滿懷著希望，安靜的回去休息。

這一夜他做了一個奇怪的夢，櫟樹又浮現在眼前，螞蟻忙忙碌碌的搬運穀粒。可是，這些奇怪的小蟲子卻在不斷的長大，而且越來越大，最後都直立起來。它們腳的數量在減少，身體也逐漸呈現人的形狀。國王正在奇怪，卻突然醒了。他睜開眼睛，發現原來是一場美夢。

然而他聽到遠方傳來一陣陣嘈雜的講話聲，房門被急速的拉開了，兒子忒拉蒙一頭撞了進來，大聲的呼喚著：「父親，快來，出現奇蹟了！真是聞所未聞，宙斯給了你這麼多臣民，遠遠超過你所希望的。」聽到這話，艾亞哥斯急步走了出去。看看門外的奇蹟，他感動得流出了熱淚。正如他所夢見的那樣，他的面前站著黑壓壓的一大群人。他們越來越近，向他恭賀，把他當作自己的國王。他高興的歡呼起來：「了不起啊，螞蟻們，等著，你們從此以後就叫彌爾彌杜納人。」

英勇的彌爾彌杜納人就是這樣起源的。他們對自己的歷史毫不忌諱，因為他們是一個勤勞得像螞蟻祖先一樣的民族。他們一年四季都在辛苦的勞動，節約每一顆糧食，對生活十分知足。

艾亞哥斯把無主的財物和田地分配給這批海島的新居民。後來，當這位虔誠的國王年邁逝世的時候，眾神一起把他扶上冥府判官的寶座，跟他一起共事的還有彌諾斯和拉達曼堤斯。艾亞哥斯的兒子和孫子都成為人間豪傑。忒拉蒙的兒子是強大的埃阿斯，珀琉斯的兒子是戰神阿喀琉斯。

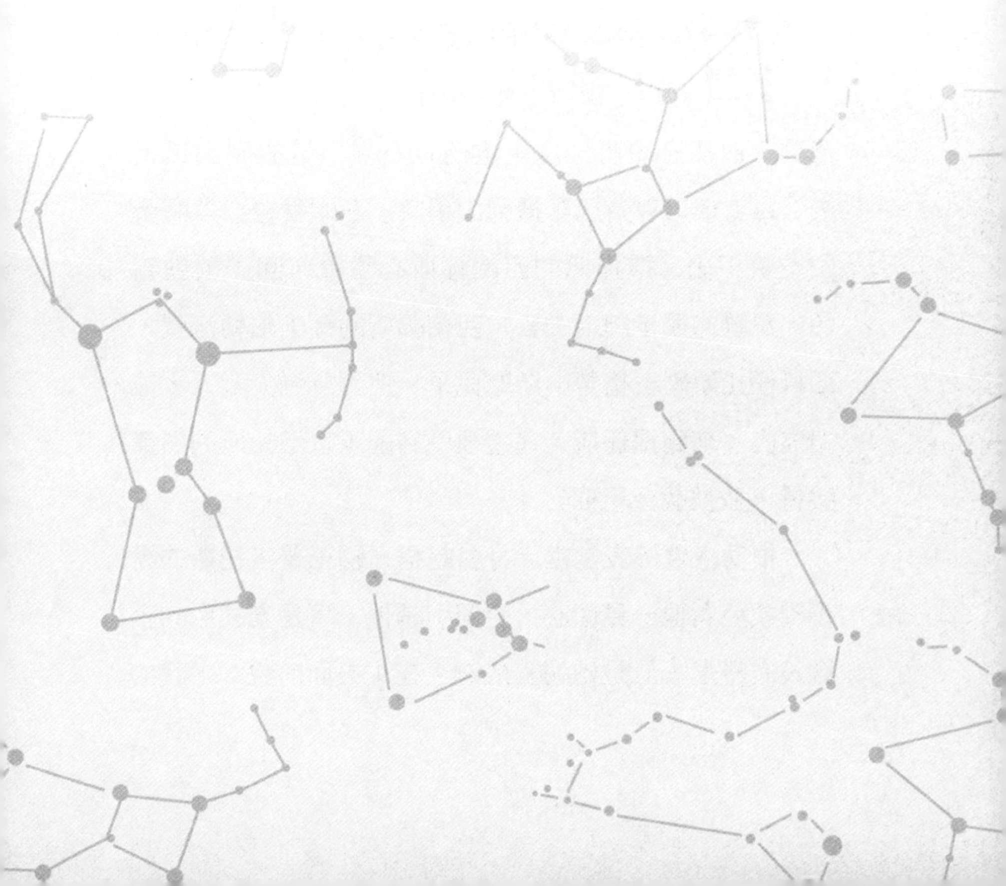

# 44 柏勒洛豐的故事

西緒福斯是所有的人類中最奸詐的人，由於他背叛了宙斯，死後被打入地獄受懲罰。每天清晨，他都必須將一塊沉重的巨石從平地搬到山頂上去。每當他自以為已經搬到山頂時，石頭就會突然順著山坡滾下去。這作惡的西緒福斯必須重新回頭搬動石頭，艱難的挪步爬上山去。西緒福斯的孫子柏勒洛豐，即科任托斯國王格勞卜斯的兒子。他因為過失殺人，被迫逃亡，來到提任斯，在這裡受到國王普洛托斯的熱情接待，並被赦免了罪行。

柏勒洛豐儀表堂堂，身材魁梧。國王普洛托斯的妻子安忒亞對他一見傾心，企圖引誘他，可是安忒亞的企圖沒有得逞，於是她惱羞成怒，在丈夫面前說：「我的丈夫，如果你不想受羞辱，敗壞自己的名譽，就該把柏勒洛豐殺死，因為他是個不老實的人，他企圖引誘我，讓我背叛你的愛情。」

國王輕信了她的話，但因為他對年輕的柏勒洛豐十分賞識，不忍心殺害他，他就派柏勒洛豐到他的岳父，即呂喀亞國王伊俄巴忒斯那裡，並讓他帶去一封密封的家信，其實信上要國王把來者處死。

柏勒洛豐被蒙在鼓裡，毫不懷疑的出發了。天上的諸神也一路保護他。他渡過大海，穿過美麗的河流克珊托斯，來到呂喀亞，見到了國王伊俄巴忒斯。這是一位熱情有禮的賢君。他設宴招待外鄉的貴客，並不問他是誰，更沒有問他從哪裡來。他的高貴的舉止和俊秀的儀表，足以表明他不是一個尋常的客人。國王讓客人享受各種榮譽，每天都像過節似的宴請他，並為他宰牛敬獻神祇。直到第十天，他才問起客人的身世和來意，柏勒洛豐告訴他，自己是從普洛托斯國王那裡來的，並呈上一封家書。

伊俄巴忒斯國王看完信，嚇得倒抽一口冷氣，十分惶恐，因為他很喜歡面前這位風度翩翩的客人。可是他想，如果沒有重大原因，他的女婿一定不會處死他的。國王若有所思的點了點頭，不過他見眼前這位在此作客

十天的年輕人，舉止溫文爾雅，談吐不俗，又不忍心派人殺害他。最後，他為了擺脫為難的境地，決定派他去作必死無疑的冒險。他先命令柏勒洛豐消滅危害呂喀亞的怪物喀邁拉。這怪物上半身像獅子，下半身像惡龍，中間像山羊，口中噴著火苗，烈焰騰騰，委實可怕。天上諸神都可憐這個無辜的年輕人。他們眼見柏勒洛豐將要遭到大禍，便急忙派波塞冬和墨杜薩所生的一匹雙翼飛馬珀伽索斯去援助他。可是飛馬從來沒有讓人騎過，十分狂野，無法抓住和馴服。柏勒洛豐努力了一陣，累得精疲力竭，最後在皮勒內河邊睡著了。他做了一個夢，夢見他的保護神雅典娜。她交給他一副壯麗的帶有金色飾物的轡頭，並對他說：「你怎麼睡著了？帶上它吧，給波塞冬獻祭一頭公牛，以後就可以使用這副轡頭了！」柏勒洛豐突然從夢中醒來。他跳起身，看到手上果然有一副金光閃閃的轡頭。

柏勒洛豐決定聽從女神的建議，殺一頭公牛祭祀波塞冬，並給保護他的女神雅典娜造一座祭壇。等到這一切都做完以後，柏勒洛豐果然毫不費力的把雙翼飛馬馴服了，他把轡頭套在馬頭上，然後穿上盔甲，騎在馬上騰空而行，彎弓搭箭，射死了怪物喀邁拉。

接著，伊俄巴忒斯又派柏勒洛豐去攻打索呂默人。

索呂默人蠻勇好戰，居住在呂喀亞邊地。出乎國王的意料，柏勒洛豐又在艱苦的戰鬥中取得了勝利。後來，國王又派他去跟亞馬孫人作戰，他也安然無恙的得勝回來。伊俄巴忒斯見難不倒柏勒洛豐，於是心生一計，在柏勒洛豐凱旋途中設置埋伏狙擊柏勒洛豐。可是襲擊柏勒洛豐的士兵全被他消滅，無一生還。這時，伊俄巴忒斯明白這個年輕人根本不是罪人，而是神的寵兒。他再也不敢殺害他了，反而把他接回宮中，和他分享王位，還把美麗的女兒菲羅諾厄嫁給他為妻。呂喀亞人獻給他肥沃的土地和豐盛的作物。他的妻子生下兩個男孩和一個女兒，生活過得十分美滿。

後來，柏勒洛豐因為擁有雙翼飛馬而變得驕矜起來。他騎著馬想到奧林匹斯聖山，參加神祇集會，可是神馬卻不願聽從他的指揮，在天空直立起來，把他摔落墜地。柏勒洛豐雖然沒有摔死，但卻遭到神的拋棄。他到處漂流，羞於見人，一直躲躲藏藏，隱居在沒有人煙的地方，在憂慮中度過餘生。

# 45 厄科和那耳喀索斯的故事

曾經在宙斯身邊有個能言善辯的仙女厄科，她的嘴巴非常靈巧，能一直不停的講出很多好聽的故事。每當宙斯無聊的時候，就讓厄科講故事給他聽。後來，宙斯喜歡上了一位仙女，但又不敢明目張膽的來往，因為天后赫拉是個愛吃醋的女人。於是，宙斯每次跟仙女見面的時候就派厄科去跟赫拉說很多話，纏住赫拉，以此獲得跟仙女見面的時間。

後來，他們的陰謀被赫拉發現了，赫拉很生氣，但她不能懲罰宙斯，於是她就懲罰厄科。赫拉對厄科說：「你那條舌頭把我騙得好苦，我一定不讓它再長篇大論的說話，我也不讓你聲音拖長先開口說話。」

果然，以後別人說話的時候她也一定要說，但是別人不說，她又絕不先開口。無非是聽了別人一席話，她來重複後面幾個字而已。結果，果然靈驗。不過她聽了別人的話以後，只能重複最後幾個字，把她聽到的話照樣奉還。

一天，她遇到一位非常美麗的少年那耳喀索斯，他正在打獵。她看見那耳喀索斯在田野裡徘徊之後，愛情的火花不覺在她心中燃起，她就偷偷的跟在他後面。她這時真想接近他，向他傾吐愛慕之意！但是她天生不會先開口，本性給了她一種限制。她只能等待他先說話，然後再用自己的話回答他。這時，這位青年和他的獵友走散了，他喊道：「這兒有人嗎？」厄科回答說：「有人！」他吃了一驚，又大聲喊道：「來呀！」她也喊道：「來呀！」他向後面看看，看不見有人來，便又喊道：「你為什麼躲著我？」他聽到那邊也用同樣的話回答。他立定腳步，回答的聲音使他迷惑，他又喊道：「到這兒來，我們見面吧！」沒有比回答這句話更使厄科高興的了，她也喊道：「我們見見面吧！」為了言行一致，她就從樹林中走出來，想要用胳膊擁抱她千思萬想的人。然而他飛也似的逃跑了，一面跑一面說：「不要用手擁抱我！我寧可死，也不願讓妳佔有我。」她只回答了一句：「你佔有我！」她遭到拒絕之後，就躲進樹林，把羞愧的臉藏在綠葉叢中，從此獨自一人生活在山洞裡。

但是，她的情絲未斷，儘管遭到棄絕，感覺悲傷，然而情意倒反而深厚起來了。她輾轉不寐，以致形容消瘦，皮肉枯槁，皺紋纍纍，身體中的滋潤全部化入太空，只剩下聲音和骨骼，最後只剩下了聲音，據說她的骨頭化為頑石了。她藏身在林木之中，山坡上再也看不見她的蹤影。但是人人得聞其聲，因為她一身只剩下了聲音。

那耳喀索斯就這樣以兒戲的態度對待她。涅墨西斯看見了他的傲慢態度，就決定懲罰他。

附近有一片清澈的池塘，水平如鏡，從來沒有鳥獸落葉把它弄皺。池邊長滿青草，受到池水的滋潤。池邊也長了一片叢林，遮住烈日。那耳喀索斯打獵疲倦了，或天氣太熱了，總到這裡來休息，正當他俯首飲水滿足口渴的慾望的時候，他在水裡看見一個美男子的形象，就立刻對他產生愛慕之情。

他望著自己讚羡不已。他就這樣目不轉睛、絲毫不動的審視著影子。影子的眼睛，就像是耀眼的雙星；影子的頭髮配得上和酒神、目神媲美；影子的兩頰是那樣光澤，頸項像是象牙製成的，臉面更是光彩奪目，雪白之中透出紅暈。

不知不覺之中，他對自己產生了嚮往；他讚不絕口，但實際他所讚美的正是他自己；他一面追求，同時又被追求；他燃起愛情，又被愛情焚燒。不知有多少次他想去吻池中幻影。不知有多少次他伸手到水裡，想去擁抱他所見的人兒，但是他想要擁抱自己的企圖並沒有成功。他不知道他所看見的東西究竟是什麼，但是他看見的東西，他卻如饑似渴的追求著。水中幻象實際上是在愚弄他，但他卻被它迷惑住了。

他飯不吃，覺不睡，一直待在池邊，匍匐在綠蔭草地上，一雙眼睛死盯住池中假象，而喪生之禍，也正是這雙眼睛惹出來的。他略略坐起，兩手伸向周圍的樹木喊道：「樹林啊，有誰曾像我這樣苦戀過呢？我愛一個人，但是我所愛的，我看得見的，卻得不到。我最感難受的是我們之間既非遠隔重洋，又非道途修阻，既無山嶺又無緊閉的城關。我們之間只隔著薄薄一層池水。他本人也想我去擁抱他，因為每當我把嘴伸向澄澈的池水，他也抬起頭想把口向我伸來。你以為你必然會接觸到他，因為我們真的是心心相印，當中幾乎沒有隔閡。你對我的態度很友好，使我抱有希望，因為只要我一向你伸手，你也向我伸手，我笑，你也向我笑，我哭的時候，我也看見你眼中流淚。我向你點頭，你也點頭回答，我看見你那美好的嘴唇時啟時閉，我猜想你是在和我答話，雖然我聽不見你說什麼。」

他說完這番話之後，悲痛萬分，又回首望著影子。眼淚擊破了池水的平靜，在波紋中影子又變得模糊了。他看見影子消逝，他喊道：「你跑到什麼地方去呢？你這狠心的人，我求你不要走，不要離開愛你的人。我雖然摸你不著，至少讓我能看得見你，使我不幸的愛情有所寄托。」

他再也不能忍受下去了。他受不了愛情的火焰的折磨，體能慢慢的要耗盡了。白中透紅的顏色褪落了，精力消損了，怡人心目的風采也消失殆盡，甚至連厄科所熱戀的軀體也都保存不多了。

厄科看見他這模樣，雖然心裡還沒有忘記前恨，但是很憐惜他。每當這可憐的青年歎息說：「咳！」她也回答說：「咳！」當他捶打胸膛的時候，她也發出同樣的痛苦的聲音。他望著熟識的池水，說出最後一句話：「咳，青年，我的愛情落空了！」他的話又在這地方引起了回聲。他說聲「再見」，厄科也說：「再見」。

他把疲倦的頭沉在青草地上，眼睛闔上了。他到了

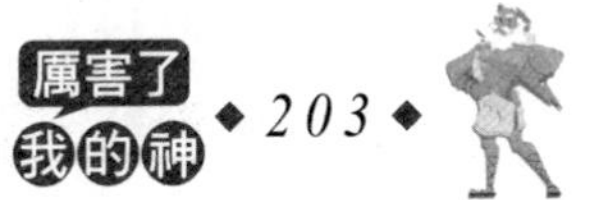


地府以後，還是不停的在斯堤克斯河水中照看自己的影子。他的姐妹們捶胸哀慟，為她們的兄弟致哀。厄科重複著她們的哭聲。她們到處找不到他的屍體。她們沒有找著屍首，卻找到了一朵花，花心是黃的，周圍有白色的花瓣，後來就叫做水仙花。

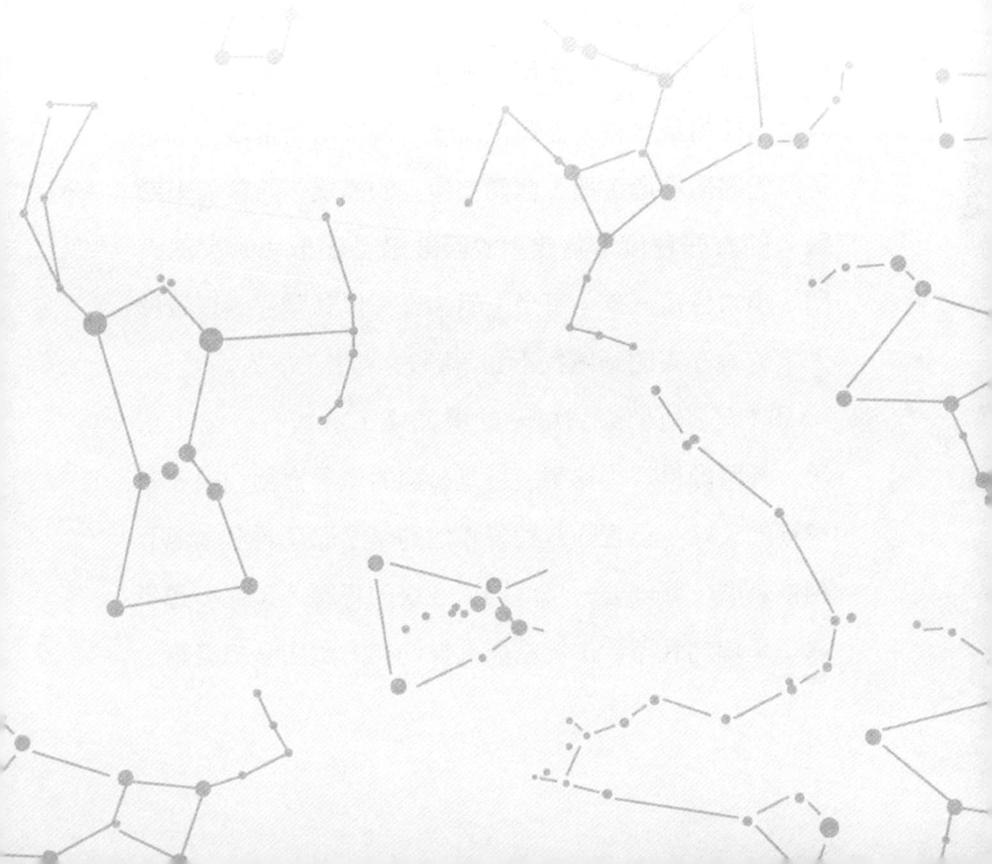

# 46 櫟樹和菩提樹的故事

在夫利基阿王國的一座山坡上生長著一棵千年櫟樹，旁邊有一棵菩提，也有千年之齡。傳說這兩棵樹是一對夫妻轉化而成。曾經宙斯帶著他的兒子赫爾墨斯經過這裡，他們化作人的模樣，希望前來考驗人的友好程度。為此，他們敲過了一千戶人家的大門，請求住宿一夜。可是人們卻十分自私殘忍，以致於天下的神在人間到處找不到落腳的地方。

這天，他們來到村子的盡頭處，這裡有一幢小草房，外觀顯得矮小貧窮。可是貧窮的屋子裡卻住著一對幸福的夫婦，正直的菲利蒙和他的妻子巴烏希斯。他們相依為命，廝守著一起度過了愉快的青春，又在一起步入了幸福的晚年。由於貧窮，他們無力做出多少善事，可是他們卻能忍受清貧，誠摯的愛情永遠也不衰竭。他們膝下沒有子女，小屋裡卻時常傳出他們歡樂的笑聲。正當兩位神彎著腰走進矮房子的小門時，這對熱情的夫婦早已朝著他們迎了出來。老人搬出椅子請客人坐下休息。老太太急忙走近灶邊，撥弄著火苗尚存的柴灰，把乾木柴和乾樹枝堆砌在一起，然後輕輕的吹著火星，讓它重新點燃木柴。木柴點燃以後，老太太又急忙在火上掛了一把水壺，他們拿出最好的飯菜招待他們。

老太太還不時的跟他們說說話，以便讓他們覺得等待的時間不是很長。神愉快的微笑著，接受著熱情的款待。正當他們用熱水泡腳的時候。老太太又去給他們鋪床。床就擱在小屋的當中，菲利蒙取出了地毯。兩位神高高興興的坐了上去，準備用膳。桌子上擺上了豐盛的飯菜。老太太用一隻瓷盤把菜餚一一端上來，其中還有一罐葡萄酒。一會兒，菲利蒙又從灶邊端來了熱騰騰的大菜。飯後，老太太幫助菲利蒙一起，把杯盞往桌旁移動了一下，騰出地方擱放飯菜點心。

神吃得津津有味。他們看到主人的臉上充滿了愉快而又熱情的笑容，看到他們慷慨而又忠實的神情，心裡更加喜歡。等到大家酒足飯飽的時候，菲利蒙發現葡萄酒酒罐仍然滿滿的，一點也沒減少。直到這時他才驚訝而又害怕的意識到今天的客人都是誰了。他誠惶誠恐的請求神的諒解，因為家道貧窮，所以拿不出豐富的菜餚款待他們，請神高抬貴手，千萬別見怪。

可是老夫妻倆還有什麼能夠拿出來招待客人呢？突然，他們想起外面牲口棚內還有一隻肥鵝，他們願意拿來孝敬神，想到這裡，兩口子急忙走了出去。可是鵝逃得比他們還要快，撲扇著翅膀，嘎嘎地叫著，一會兒跑到東，一會兒跑到西，把兩個老人累得氣喘吁吁，跑得上氣不接下氣，蠢鵝不蠢，最後衝進小屋，躲在兩位客人的背後，似乎在向兩位神哀求保佑。神果然站了起來，面露慈祥的微笑，說：「我們想考驗一下人間的友好程度，所以化了妝來到人間，你們的鄰居十分吝嗇，難逃厄運懲罰，你們卻必須離開這幢房子，跟我們到山頂上去，這樣你們就不會跟有罪的人忍受同樣的苦難。」

菲利蒙和妻子巴烏希斯連忙答應，他們拄著枴杖，費力的朝陡峭的山上走去，快到山頂的時候，他們膽戰心驚的回頭看了一眼，山下的平地早就成了汪洋大海，高樓大廈也塌倒在地，只有他們的那幢小房子還屹立在波濤裡，有如一個漂亮的小島。

正當他們驚訝不止，悲歎村民命運的時候，只見可憐的小草房竟然變成一座華麗的廟宇，門口聳立著粗大的石柱，金色的琉璃瓦在陽光下閃耀著艷麗的色彩，地面上鋪著光滑細緻的大理石。宙斯轉過身來，看著顫抖的兩位老人，說：「告訴我，你們有什麼願望？」菲利蒙跟老伴商量了一陣，回答說：「我們希望成為你們的祭司。請你大發慈悲，讓我們看守這座廟宇，我們相互廝守著過了一輩子，所以也希望將來死在同一個時辰。」他們的願望實現了，兩個人在有生之年擔任看守廟宇的任務。有一天，菲利蒙和巴烏希斯感到自己的生命已經走到了盡頭，於是又雙雙站在廟門口的台階上，巴烏希斯看著菲利蒙，菲利蒙看著巴烏希斯，突然，他們身上都長出了碧綠的樹葉，這一對虔誠的夫婦迎來了自己的大限，菲利蒙變成了一棵櫟樹，妻子變成為菩提樹。兩棵樹互相對望著，廝守著，就像他們生前一樣永不分離，流傳為千古美談。

# 47 變成蜘蛛的阿拉喀涅

據說在呂狄亞王國裡有一座小城許珀巴，那裡住著一個出身低微的年輕婦女，名叫阿拉喀涅。她的父親伊特蒙是科羅封地區的顏料商，母親早年去世，也是出生於貧窮人家。可是阿拉喀涅卻聞名四方，因為她作為織布女子，手藝勝過所有的姐妹們，連山區和河水女仙們都來到她的草屋，讚賞她的精湛藝術。阿拉喀涅的手非常靈巧。阿拉喀涅將羊毛紡成粗紗，把粗紗不斷整細並且靈巧的晃動紗錘或用細針縫繡的時候，眾人都對她靈巧的手藝非常佩服，稱讚這些動作都像紡織大師帕拉斯・雅典娜的一樣。可是阿拉喀涅卻不買帕拉斯・雅典娜的帳，常常不服氣的大聲說：「我並沒有向女神學本領，女神可以來跟我比賽，如果我輸了，甘願忍受任何懲罰。」

雅典娜聽到這番吹噓的話很不高興，她變作老太婆的模樣來到阿拉喀涅的小草房，勸說道：「不值錢的年齡終會有一點作用的，經驗隨著時光才能成熟，因此妳千萬不能鄙視我的建議，妳的紡紗本領超過了凡間的任何女子，取得了巨大的榮譽，妳該知足才是。向女神低頭臣服吧，請求她原諒你所說的大話，只有這樣，妳才能得到寬恕。」阿拉喀涅沒有認出女神，她一邊穿線一邊生氣的回答說：「老太婆，妳真愚蠢，年齡的重擔已經淡化妳的智慧，回去跟妳的女兒說教吧，我不需要妳的勸告，帕拉斯為什麼不親自來？為什麼她不敢跟我比賽？」女神的寬容總會有盡頭的時候，「她就在這裡」。女神大喝一聲。突然顯現了天神的面貌，在場的女仙子跟呂狄亞的婦女們頓時跪倒在女神的腳下，只有阿拉喀涅不動聲色，可是在她倔強的臉上也微微紅了一下。她要向宙斯的善於織布的女兒挑戰。

宙斯的女兒應戰了。兩個人在各自的地方架起織布機，一起開始了工作，她們將羊毛染成千百種顏色，讓金線穿過其中。

雅典娜在圖案中織出了雅典的城堡和山岩，織出了雅典與海神爭奪國家的戰爭故事。宙斯率領著十二位神坐在其中，另一邊站著波塞冬，手持巨大的三叉戟，奮力衝向山岩，激起一層層鹹津津的海浪，四散漂濺。藝術女神也在畫中，拿著盾牌和長矛，頭戴鋼盔，胸前是一個可怕的神盾圖案，上面講的是她用槍尖讓荒涼的土地上長出橄欖樹的故事。

雅典娜把自己的勝利織進圖案裡，而在四隻角上她又織了人們由於驕傲而遭受神懲罰的四則故事：色雷斯國王赫莫斯和他的王后羅杜潑，狂妄自大，自稱宙斯和赫拉，因此被變作兩座山；另一個角落上是一位不幸的母親，名叫皮格瑪恩，敗在赫拉手下，變作一頭鶴，常常跟自己的孩子發生糾紛爭執；第三個角落上織出的女子叫安提戈涅，洛墨冬的漂亮女兒，一頭捲髮十分動人，以致於要跟赫拉比美，天后盛怒之下，把她的頭髮變作毒蛇，折磨並撕咬頭皮，十分嚇人，最後還是宙斯發善心，將她變作一頭仙鶴的模樣，不過它現在還時常炫耀自己的年輕美貌；最後的一幅畫上是帕拉斯哀悼女兒的故事，她們驕傲自大，不可一世，激起赫拉的憤怒，赫拉把她們變成自己廟前的石階，父親悲傷地跪在石階上，以淚洗面，澆灑在冰冷的大理石上。雅典娜織出了漂亮的橄欖枝葉的花環，把四幅圖案連結在一起，匠心所致，巧奪天工。

與雅典娜相反，阿拉喀涅在織物上織了一些嘲笑神的題材，尤其嘲笑了宙斯，例如他一會兒變作公牛，一會兒變作雄鷹或天鵝，然後又變作淫蕩的色鬼薩蒂爾，或者是熊熊燃燒的火焰或金雨，宙斯就是以這些形象前來愚弄人間女子的。

這些故事都編織在一根常青籐上，飾以許多花卉，當她完成織造以後，連帕拉斯‧雅典娜也佩服得無可挑剔，可是她從畫面上看到阿拉喀涅對神的嘲笑，雅典娜十分憤怒，一把抓過織物，撕得粉碎，另外她還用梭子在阿拉喀涅的額角上連敲了三下，可憐的阿拉喀涅頓時失去了理智，拿起一根繩子圍在自己的脖子上，便顫悠悠地吊掛在空中了。女神一見便動了惻隱之心，一把抓住繩子，把阿拉喀涅從繩扣中解救出來，說：「妳應該保留一條生命，妳的全族直至孩子都將受到懲罰。」說完，女神在阿拉喀涅臉上撒了幾滴魔液，然後扔下她獨自走了。

阿拉喀涅卻可憐的發生了變化，她的頭髮、鼻子和耳朵全都消失不見了，整個人乾癟的收縮變成一隻細小難看的蜘蛛，不過，直到今天她還操持著古老的藝術，把線跟線努力的搭織起來，織成一張漂亮的蜘蛛網。

# 48 雙子座的故事

仙女勒達是美麗的女子海倫的母親，她還生了兩個兒子，卡斯托耳和波呂丟克斯。卡斯托耳是斯巴達的國王廷達瑞俄斯的兒子，屬於凡人，而波呂丟克斯其實是宙斯跟勒達所生的兒子，所以屬神的行列。這一對兄弟朝夕相處，形影不離，並且兩人面貌相似，所以人們乾脆按卡斯托耳父親的名字把他們稱作廷達里德斯，有時候又稱他們是狄俄斯庫里，意思為宙斯的兒子。兩個兒子成為母親的掌上明珠，陪伴著她一直到老。

卡斯托耳善於駕馭各種烈馬，而波呂丟克斯是他那個時代的最出名的拳擊大王，他們在還很年輕的時候就已經嶄露頭角，展現了豪邁的英勇氣概。尤其當他們聽說忒修斯搶走妹妹海倫的時候，他們更是大顯身手。他們兄弟兩人騎上神贈送的追風馬，風馳電掣，一路朝著強盜逃走的方向追下去，直到把妹妹從賊人手中解救出來。後來，這一對孿生兄弟又參加圍獵卡呂冬公豬的活動，並參加阿耳戈英雄的征伐，波呂丟克斯在跟凶殘的珀布律喀亞國王阿密科斯拳擊時，一拳擊中他的耳根，把他的頭蓋骨打碎致死。經過這一系列的戰鬥，狄俄斯庫里兄弟兩人建立了不朽的功勳，大英雄海克力士任命他們擔任奧林匹克運動會的主持和領導。

那時候，美索尼亞的國王名叫阿法洛宇斯，是廷達瑞俄斯國王的姻弟，他也生有兩個英勇無比的兒子，取名林扣斯和伊達斯。林扣斯即希臘語敏銳的眼睛之意，他可以透過樹幹甚至透過地面看到後面或下面的東西，伊達斯力大無窮，甚至對阿波羅也全無懼怕。阿波羅愛上河神奧宇納奧斯的女兒瑪爾珀薩，他將瑪爾珀薩鎖在自己的神殿裡，不料伊達斯對瑪爾珀薩也十分垂青，他勇敢地闖入聖地，偷偷的帶走了自己愛戀的女子。

阿波羅十分生氣，趕上前來，站在伊達斯面前，威脅著要將他殺死。伊達斯毫無畏懼，彎弓搭箭，對準阿波羅準備開戰。在他們殺的昏天暗地，難解難分的時候宙斯及時趕到，排解了這場糾紛。宙斯勸說他們，讓瑪爾珀薩在他們中間自由選擇。瑪爾珀薩願意嫁給伊達斯，伊達斯十分高興的將她帶回家去。可惜瑪爾珀薩為此也付出了代價。她必須青春早逝，不能長壽。林扣斯和伊達斯跟狄俄斯庫里兄弟曾經是非常衷心的朋友。可惜後來又成了不共戴天的敵人。

有一回，兩對兄弟共同出外搶劫，他們在亞加狄亞搶到一群牛。四個人商量著準備瓜分，伊達斯把一頭公牛分成四份，宣佈說將其中一半給首先吃掉自己那份的人。其餘的一半歸剩下的三個人共有。瓜分完畢，他們四個人開始了稀罕的比賽，不料其他人剛剛開始動嘴，伊達斯卻早已吃完了自己的一份。他理所當然地走過來，又從兄弟三人手上拿走一份，吃了起來。

狄俄斯庫里兄弟感到上了當，他們越想越生氣，乾脆闖進美索尼亞，搶走林扣斯兄弟的妻子，並跟他們婚配。然後，弟兄兩人商量著將掠物藏在安全的地方，那是一棵蛀空了的大櫟樹。

他們躲在樹內，窺視著林扣斯兄弟的動向。林扣斯急忙來到達埃格拖斯，他登上最高峰往下一看，伯羅奔尼撒半島盡收眼底，一會兒，他那敏銳的眼睛就發現了卡斯托耳跟波呂丟克斯藏匿的地方。他們迅速猛撲著追了過來，狄俄斯庫里兄弟還沒有發現，只見伊達斯扔過來一桿沉重的標，標槍穿透了卡斯托耳的胸膛，他撲地一聲倒在地上。波呂丟克斯看到兄弟躺在血泊之中，怒不可遏的跳了出來，準備跟面前的兩位仇敵作殊死的拚鬥。

林扣斯兄弟一看架勢，嚇得連忙往後退，匆促之間，他們來到父親阿法洛宇斯的墓旁，蠻勇過人的伊達斯突然搬起墳丘上的墓石，朝著後面追來的人砸過去，墓石沒能傷害波呂丟克斯，他猛的撲到林扣斯面前，用長矛把林扣斯戳翻在地，結束了他的性命。波呂丟克斯又追了上去，他跟伊達斯面對面站著。仇人相見，分外眼紅，一場惡戰在所難免。他們都發誓要為死去的兄弟報仇雪恨。於是一方面使盡了吃奶的力氣，另一方面亮出了看家的絕招，你來我往，一直殺到天昏地暗，日月無光。

宙斯高高在上，把這一切都看在眼裡。這時候，伊達斯正從地上拾起一塊巨石，高舉著準備朝波呂丟克斯的頭上砸去，宙斯一看自己的兒子要吃虧了，急忙扔出一道火光閃電，閃電擊中伊達斯。可惜阿法洛宇斯的兩個兒子就這樣死於非命，波呂丟克斯抬起眼睛，感激的看著父親，然後朝奄奄一息的兄弟奔了過去。

卡斯托耳還沒有嚥氣，正在作著痛苦地掙扎，波呂丟克斯大聲地呼喊起來：「高高在上的父親宙斯，讓我跟他一起死去吧，不要讓我承受失去兄弟的痛苦。」

天父聽到兒子的呼聲，彎下身子對兒子說：「你是神胎，具有不死之身，因為你是我的兒子，他的父親是個凡人，與你不能相比。兒子，你必須自由選擇，你願意在奧林匹斯山與神為伍，永世永生當神，還是跟你的兄弟同甘共苦，分擔他的命運？那樣你必須有一半時間生活在黑暗的冥府，另一半時間則享受神的天庭快樂。」波呂丟克斯立即高高興興的選擇了與兄弟分擔命運的機會，宙斯這才讓卡斯托耳口眼閉合。

從此以後，這一對兄弟猶如在人世間一樣永不分離，他們一天跟天父宙斯以及其他神一起過天庭的生活，另一天則在黑暗的冥王哈德斯那裡過地獄的日子。人們遇到生活中的苦難時都願意向他們祈求，因為他們是世人危險場合中的慈悲救助，鏖戰的時候，這一對兄弟常常出現在困苦的英雄面前，猶如閃爍的星星，指引他走向勝利，即使暴風掀起了萬丈狂瀾，他們都會鼓起金色的翅膀，降落下來，救助絕望的落難者。後來，宙斯把他們放到天上，就成了雙子座。

# 預言家默浪姆珀斯

阿密忒翁是克瑞透斯的兒子，他在美索尼亞建造了一座城市皮洛斯，一家人幸福的住在裡面。妻子伊多墨紐為他生下兩個兒子，取名皮亞斯和默浪姆珀斯。默浪姆珀斯就是黑腳的意思。因為他還是一個孩子時，在野外遊玩時睡著了，熱辣辣的太陽當空烤曬著他的雙腳，一雙腳頓時變得漆黑。

他們的門前有一棵古老的大櫟樹，樹幹內盤踞著一個碩大的蛇窩。默浪姆珀斯十分喜愛這些聰明的小動物，他在一次大捕殺中救了一條小蛇，小蛇長大後趁他睡覺時，進入了他的耳朵，從此，他就能聽懂飛禽走獸的語言了。他成了著名的預言人和占卜家，因為鳥兒能夠預知未來。後來，默浪姆珀斯成了預言神阿波羅的座上客。

在皮洛斯城有一位知名人士納洛宇斯，他的女兒佩羅是一位絕色美女，默浪姆珀斯的兄弟皮亞斯看中了佩羅，他來到納洛宇斯面前，表示對他女兒的垂慕之意。納洛宇斯回答說只有能夠把伊菲克洛斯的牛群牽來的人，才能娶他的女兒做妻子。

這群牛現在被圍圈在帖撒利的菲拉克地，旁邊有一條惡狗看守著，無論是人或者牲口都休想靠近得了。皮亞斯想盡了辦法，甚至不惜冒險去偷，可是都沒有得手。最後，他只好請兄弟幫助他一起完成任務。默浪姆珀斯因為兄弟情誼不惜鋌而走險。到了那裡他正要下手偷牛時，卻被當場抓獲，鋃鐺入獄，從此不見天日。幾乎過去了整整一年時間。一天，默浪姆珀斯正苦悶的坐在監獄裡，突然聽到屋簷下面的木椽裡有一批鑽木蟲正在起勁的勞作，同時又在熱烈地論長說短。默浪姆珀斯想知道這場破壞性勞動的進展程度。「快了，快了，現在還有一小部分沒有鑽透。」蟲子們七嘴八舌的紛紛回答，「再過一個小時就可以大功告成了。」默浪姆珀斯聽說以後，急忙呼喊著尋找監獄長說這座監獄即將塌毀，希望換到另一幢房子裡去。他的要求剛剛實現，監獄的房子就倒掉了。

這個囚犯具有預言本領的消息進入了王宮。國王菲拉扣斯，即伊菲克洛斯的父親，連忙召見這個囚犯。他讓人解開了囚犯身上的鎖鍊，然後把他引到一旁，向他保證，只要他能治癒伊菲克洛斯的疾病，他就可以得到那筆牛的財產。伊菲克洛斯在小時候又健康，又強壯，一場特殊的事故讓他突然患上了疾病。從此以後他就病懨懨的，衰弱不堪。

默浪姆珀斯答應進行一次嘗試。他殺掉兩頭牛，祭供宙斯。另外，他又切下一些牛肉，剁成碎屑，呼喚鳥兒前來就餐。不一會，鳥兒從四面八方飛著聚攏過來。占卜的默浪姆珀斯問它們是否曉得伊菲克洛斯生病的原因，一隻年老的老鷹告訴他原因：菲拉扣斯在樹林裡砍柴時，看到兒子在附近遊玩滾耍，便開了一個玩笑，想嚇唬一下兒子。他把手中的斧頭扔了過去。

斧頭擦過兒子的鼻尖，飛進面前的樹林裡，從此拔不出來了。伊菲克洛斯被嚇壞了，恐懼鑽進了骨髓，因此患上重病。「如果找到那把斧頭，」老鷹見多識廣，對默浪姆珀斯說：「就刮下斧頭上的鐵銹，用鐵銹浸酒，讓伊菲克洛斯分十天喝下，這樣他才能重新獲得健康。」默浪姆珀斯按照老鷹的指示和建議找到了那把斧頭。他刮下鐵銹，讓鐵銹溶入酒中。伊菲克洛斯把酒分十天喝下，果然從此精神大振，又健康，又瀟灑。國王十分高興，不忘諾言，把一群牛給了默浪姆珀斯。默浪姆珀斯趕著牛回到了皮洛斯，幫助兄弟得到了佩羅。

附近的亞哥利斯國由孿生兄弟阿克里西俄斯和普洛托斯共同治理。兄弟兩人為統治王國的權力爭得不可開交。最後，阿克里西俄斯佔了上風，把普洛托斯趕出了國家。

普洛托斯逃到呂喀亞，見到國王伊俄巴忒斯。伊俄巴忒斯收留了他，並將女兒許配給他為妻，然後讓他統領一支軍隊趕回亞哥利斯。他在那裡佔領了提任斯城。阿克里西俄斯不得不與兄弟平分王國，他成為亞哥利斯國王，弟弟普洛托斯當了提任斯國王。

普洛托斯生有三個女兒，十分美麗，前往求婚的希臘人紛至沓來。可是三個女子卻十分驕傲。因為嘲笑赫拉的神聖，被赫拉把瘋癲打入邪惡的女子體內。三個女人頓時喪失神志、瘋瘋癲癲。她們的父親十分惆悵。他聽說了預言家默浪姆珀斯的高超本領，於是派人把他找了過來，央求他醫治三位可憐的女子，默浪姆珀斯說：「我可以滿足你的願望，不過你卻要將三分之一的王國割讓給我。」國王十分吝嗇，不願意接受這一苛刻的條件，結果她們咆哮和瘋癲得更為厲害，她們的瘋癲甚至傳染給別的女人，讓她們都殘忍的殺死自己的親生子女，離家出走。

國王普洛托斯十分害怕，再次派人找來默浪姆珀斯，請求幫助，這回他一口答應割讓三分之一的王國，可是預言家卻拒絕相助，除非普洛托斯答應把另外三分之一王國割讓給默浪姆珀斯的兄弟。國王害怕時間耽擱久了，默浪姆珀斯會向他要整個王國，於是便一口答應了。默浪姆珀斯召集了一批身強力壯的處女，率領她們進入了群山之中，他讓年輕的女人們大聲吶喊，並舉行種種頂禮膜拜的狂熱舞蹈，三個瘋狂的女子也在其中，在這場瘋狂的活動中，國王的大女兒疲倦而死，而另外兩個女兒卻被治好了瘋癲。那是因為默浪姆珀斯向被激怒的女神赫拉祭供了牲禮並作了祈禱，赫拉才原諒了她們。

她們的父親慷慨地履行了諾言，他除了把三分之二的國土給了默浪姆珀斯兄弟以外，還把兩個女兒分別嫁給他們兄弟，默浪姆珀斯和皮亞斯成為強大的國王，他們香火鼎盛，後代興旺，繁衍出一支龐大而又榮耀的後裔，即默浪姆珀蒂氏，他們祖先預言的本領自然也世代相傳。

※為保障您的權益，每一項資料請務必確實填寫，謝謝！

| 姓名 | | 性別 | □男　□女 |
|---|---|---|---|
| 生日 | 年　月　日 | 年齡 | |
| 住宅地址 | 郵遞區號□□□ | | |
| 行動電話 | | E-mail | |

學歷

□國小　□國中　□高中、高職　□專科、大學以上　□其他______

職業

□學生　□軍　□公　□教　□工　□商　□金融業
□資訊業　□服務業　□傳播業　□出版業　□自由業　□其他______

謝謝您購買 **厲害了，我的神：超精彩的希臘神話故事** 與我們一起分享讀完本書後的心得。務必留下您的基本資料及電子信箱，使用我們準備的免郵回函寄回，我們每月將抽出一百名回函讀者，寄出精美禮物以及享有生日當月購書優惠！想知道更多更即時的消息，歡迎加入"永續圖書粉絲團"

您也可以使用以下傳真電話或是掃描圖檔寄回本公司電子信箱，謝謝！

傳真電話：（02）8647-3660　　電子信箱：yungjiuh@ms45.hinet.net

●請針對下列各項目為本書打分數，由高至低5～1分。

| | 5 4 3 2 1 | | 5 4 3 2 1 |
|---|---|---|---|
| 1.內容題材 | □□□□□ | 2.編排設計 | □□□□□ |
| 3.封面設計 | □□□□□ | 4.文字品質 | □□□□□ |
| 5.圖片品質 | □□□□□ | 6.裝訂印刷 | □□□□□ |

●您購買此書的地點及店名______

●您為何會購買本書？

□被文案吸引　□喜歡封面設計　□親友推薦　□喜歡作者
□網站介紹　□其他______

●您認為什麼因素會影響您購買書籍的慾望？

□價格，並且合理定價是______　□內容文字有足夠吸引力
□作者的知名度　□是否為暢銷書籍　□封面設計、插、漫畫

●請寫下您對編輯部的期望及建議：

2 2 1 - 0 3

新北市汐止區大同路三段194號9樓之1

傳真電話：（02）8647-3660
E-mail：yungjiuh@ms45.hinet.net

| 廣　告　回　信 |
| --- |
| 基隆郵局登記證 |
| 基隆廣字第200132號 |

# 培育

文化事業有限公司

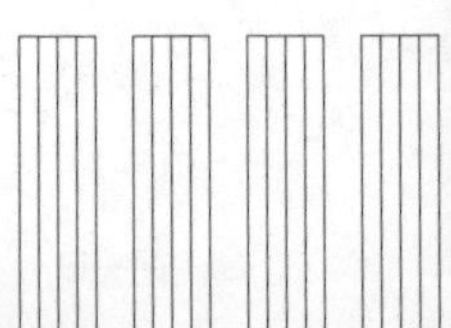

讀者專用回函

## 厲害了，我的神：超精彩的希臘神話故事

培養文化育智心靈的好選擇